U0102316

齊白石全集

第四卷:繪畫

齊白石

凡例

一　《齊白石全集》分雕刻、繪畫、篆刻、書法、詩文五部分，共十卷。

二　本卷爲盛期繪畫。收入三十年代初期至三十年代晚期繪畫作品三〇七件。作品按年代順序排列。

三　本卷内容分爲二部分：一圖版，二著録、注釋。

目録

目録

繪畫（三十年代初期—三十年代晚期）

著録·注釋

CONTENTS

CONTENTS

PAINTINGS (early 1930s——late 1930s)

BIBLIOGRAPHY, AND ANNOTATION

繪畫

一　秋荷　約三十年代初期　縱一三七厘米　橫四七厘米

二 芙蓉小魚 約三十年代初期 縱一三三厘米 橫三三厘米

三　葫蘆　約三十年代初期　縱一三四厘米　横三四厘米

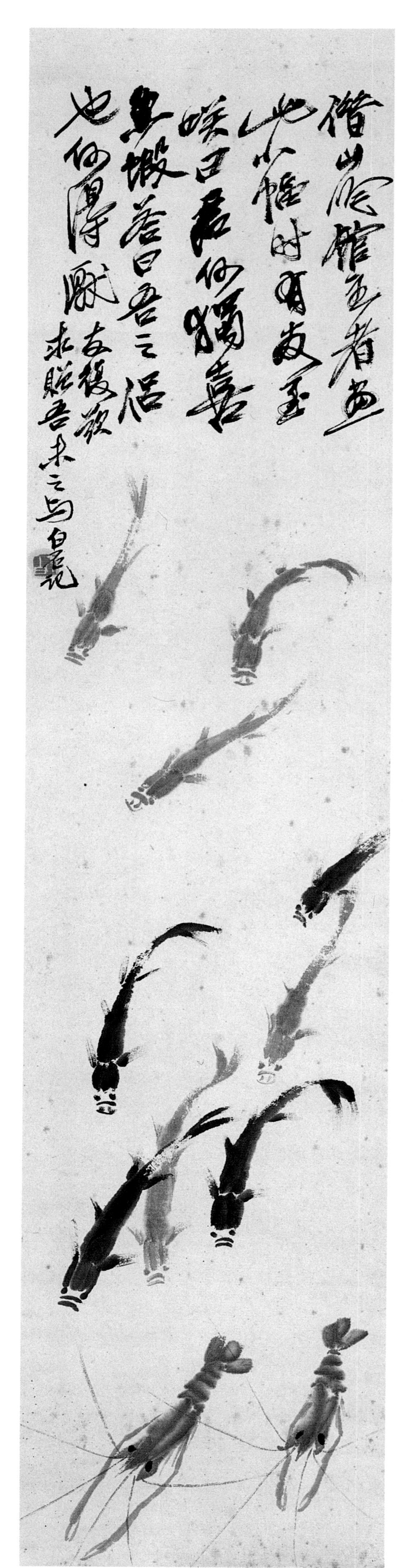

四

魚蝦

約三十年代初期　縱九三・五厘米　橫二一・四厘米

五　荔枝

約三十年代初期　縱一三五厘米　橫三四厘米

六

白菜 約三十年代初期 縱一二二·五厘米 橫三三·七厘米

七

清白傳家　約三十年代初期　縱一三七·五厘米　橫二五·八厘米

八

荔枝

約三十年代初期　縱一〇〇・一厘米　橫三三・二厘米

九

紅柿　約三十年代初期　縱九二·二厘米　橫四六厘米

一〇 烏桕八哥

約三十年代初期　縱一〇〇・八厘米　橫三四厘米

一一　蟹（扇面）約三十年代初期　縱一八·五厘米　橫五二厘米

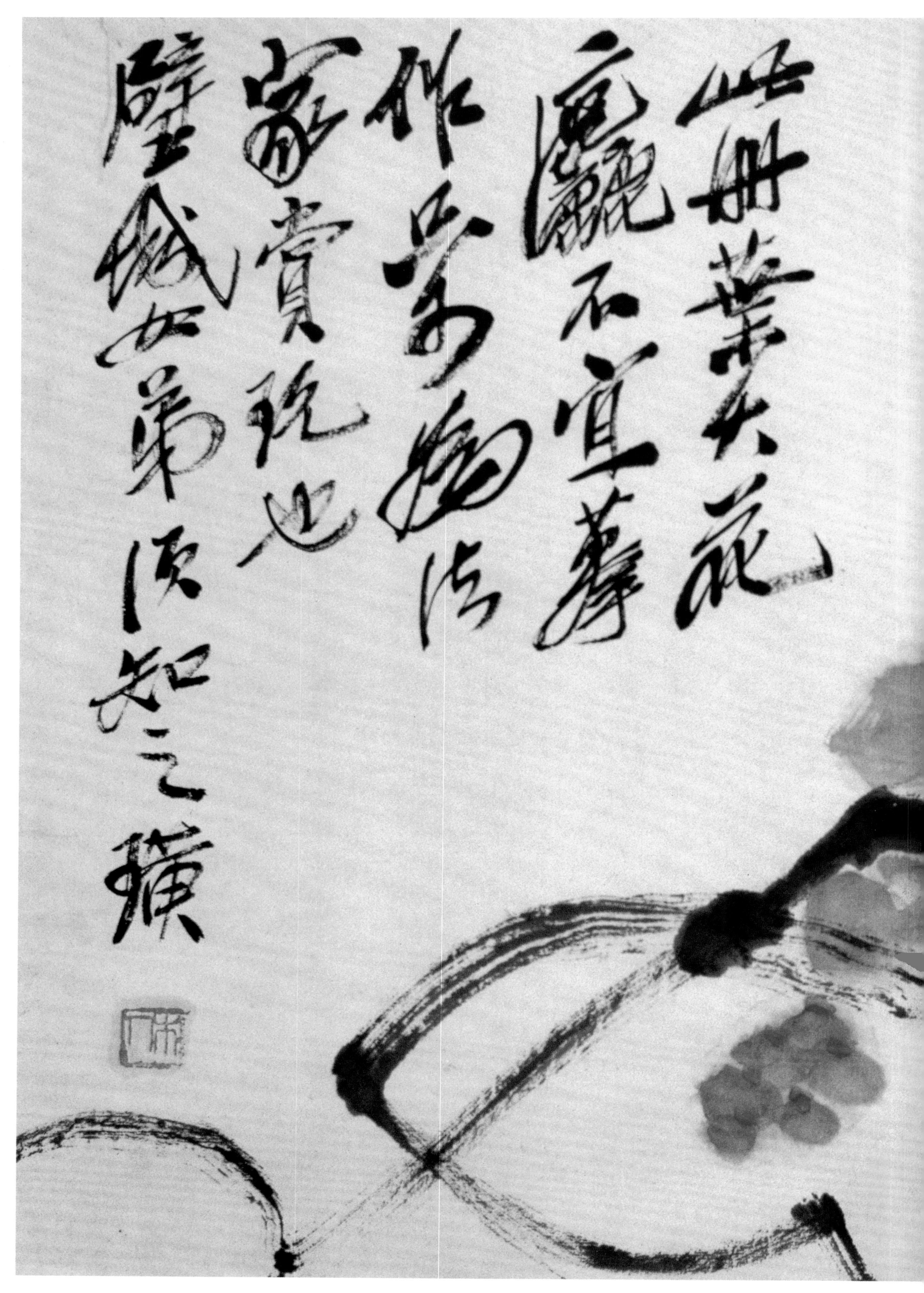

一二　**紫藤**　約三十年代初期　縱三四厘米　橫四六厘米

一三　玉蘭花

約三十年代初期　縱一三三·五厘米　橫三三·四厘米

一四　藤蘿蜜蜂

約三十年代初期　縱六九・一厘米　橫三三・三厘米

一五　群蛙蝌蚪

約三十年代初期　縱六八・五厘米　横三三厘米

一六　枯藤群雀圖　約三十年代初期　縱一〇一厘米　橫四一厘米

一七　松鷹圖　約三十年代初期　縱一七一・五厘米　橫四七厘米

一八　紅蓼竹鷄

約三十年代初期　縱一二〇·五厘米　橫四四·五厘米

一九

雙栖圖

約三十年代初期　縱七七厘米　橫三三厘米

二〇 荷花蜻蜓圖 約三十年代初期 縱一一五·二厘米 橫三三·二厘米

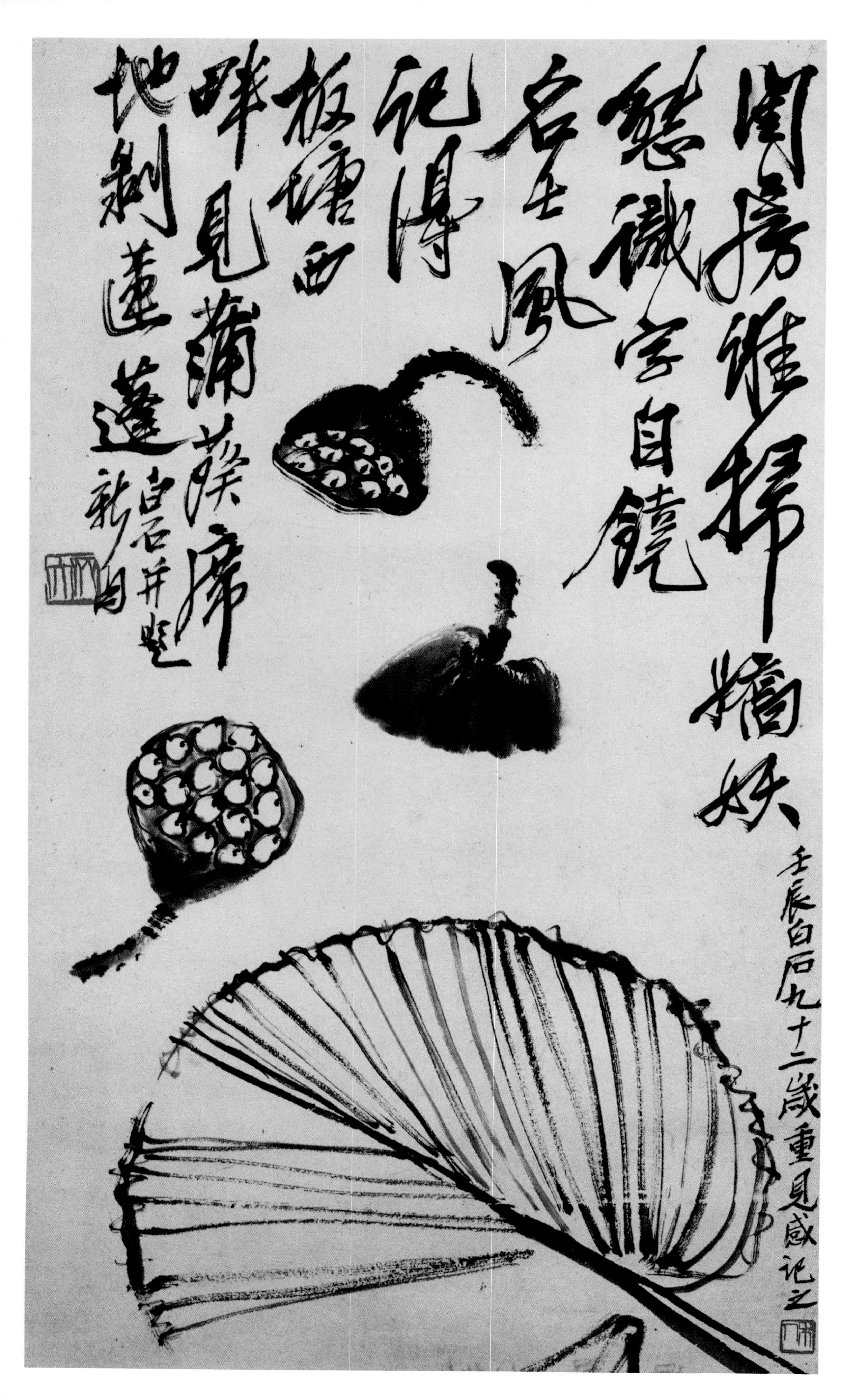

二一

蓮蓬葵扇　約三十年代初期　縱七八・五厘米　橫四四厘米

二二　長年圖　約三十年代初期　縱一三二·五厘米　橫三二·四厘米

二三 水草小魚 約三十年代初期 縱六六·三厘米 橫三二·八厘米

二四　芋苗雛鷄

約三十年代初期　縱一三五厘米　橫三三厘米

二五

長壽

約三十年代初期　縱九一厘米　橫四四厘米

二六　育雛圖　約三十年代初期　縱八一厘米　橫四〇厘米

二七 翠鳥游蝦 約三十年代初期 縱一三三厘米 横三三·五厘米

二八　山峽歸帆圖

約三十年代初期　縱一三七厘米　橫三九厘米

二九　松窗閑話　約三十年代初期　縱一八〇·五厘米　横四八厘米

三〇　蕉屋圖　約三十年代初期　縱一八〇・五厘米　橫四八厘米

三一 溪橋歸豕圖 約三十年代初期 縱一一一厘米 横三三·七厘米

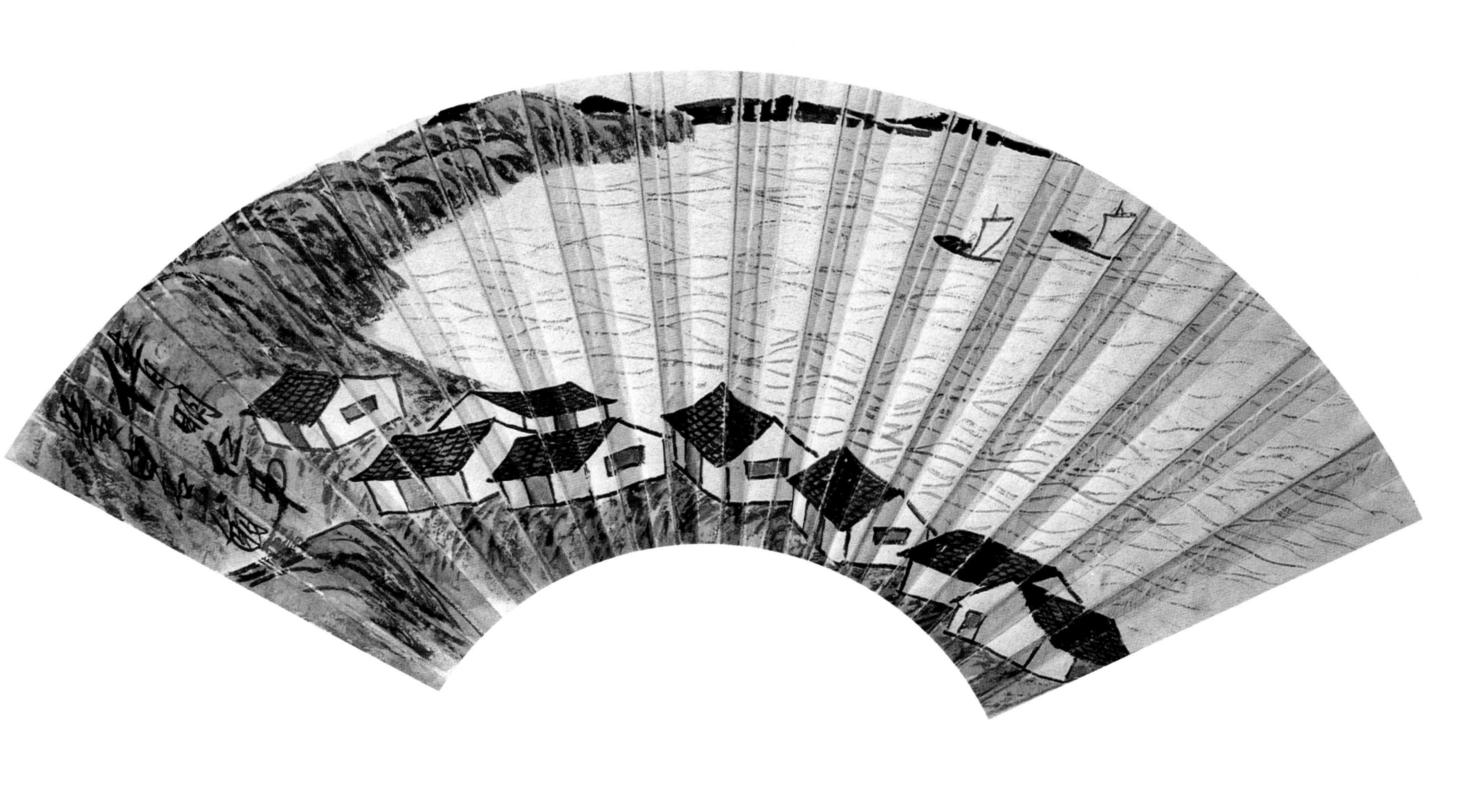

三二　江邊村舍（扇面）約三十年代初期　縱一八·五厘米　橫五二厘米

三三　秋水鸕鷀

約三十年代初期　縱一一七厘米　橫二四厘米

秋水鸕鷀（局部）

三四　竹林白屋　約三十年代初期　縱三二厘米　橫三三厘米

三五　孤舟

約三十年代初期　縱三八厘米　橫二三・四厘米

三六　日出　約三十年代初期　縱六九厘米　橫二六厘米

三七　青山柳帆

約三十年代初期　縱一六五厘米　橫三三厘米

三八　柏屋圖　約三十年代初期　縱三八厘米　橫二九厘米

三九　柏屋圖　約三十年代初期　縱二三二厘米　橫三五厘米

柏屋圖（局部）

四〇　溪柳人家　約三十年代初期　縱二六厘米　橫一四二厘米

四一　旭日東升

約三十年代初期　縱一七五厘米　橫六八厘米

四二　白石草堂圖　約三十年代初期　縱九九・三厘米　橫三三厘米

四三 松居圖

約三十年代初期　縱二六厘米　橫一四厘米

四四　仙人洞圖　約三十年代初期　縱一四四·八厘米　橫三三厘米

四五　牽牛花　一九三四年　縱一三六厘米　横三四厘米

四六　山水　一九三四年　縱一五一・二厘米　橫三五・五厘米

四七　綠柳白帆圖　約三十年代初期　縱二七·五厘米　橫一四三厘米

四八　中流砥柱　一九三四年　縱七五厘米　横三四厘米

四九　松溪　約一九三四年　縱一〇一厘米　橫三四厘米

五〇　山水鸕鷀　一九三四年　縱一〇四·五厘米　橫四四厘米

五一　鐘馗醉酒圖　一九三四年　縱九二·七厘米　橫四一·五厘米

五二　醉飲圖（人物條屏之一）　一九三四年　縱一〇九厘米　橫四三厘米

五三　偷桃圖（人物條屏之二）　一九三四年　縱一〇九厘米　橫四三厘米

五四　蕉林山居　一九三四年　縱六二厘米　橫一一八厘米

璧城女弟雅属
甲戌秋月齐璜

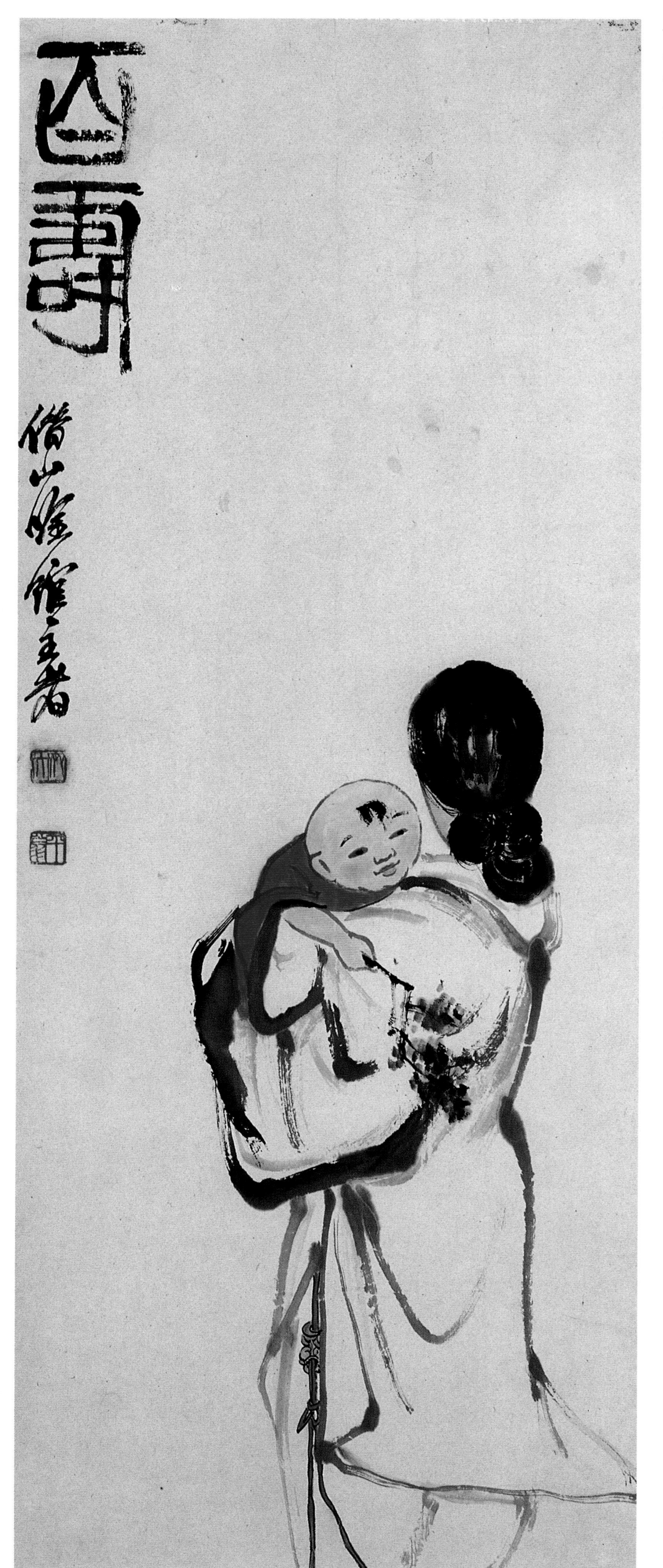

五五　百壽（人物條屏之三）　一九三四年　縱一〇九厘米　橫四三厘米

五六　采菊圖（人物條屏之四）　一九三四年　縱一〇九厘米　橫四三厘米

五七　水族圖　一九三四年　縱一〇三厘米　橫三四厘米

五八　藤蘿蜜蜂（扇面）　一九三四年　縱一七·八厘米　橫五〇厘米

五九 藤蘿

一九三四年 縱一九四厘米 橫六七厘米

藤蘿 （局部）

六〇　玉蘭小鷄

一九三四年　縱九九厘米　橫三三·五厘米

玉蘭小鷄 （局部）

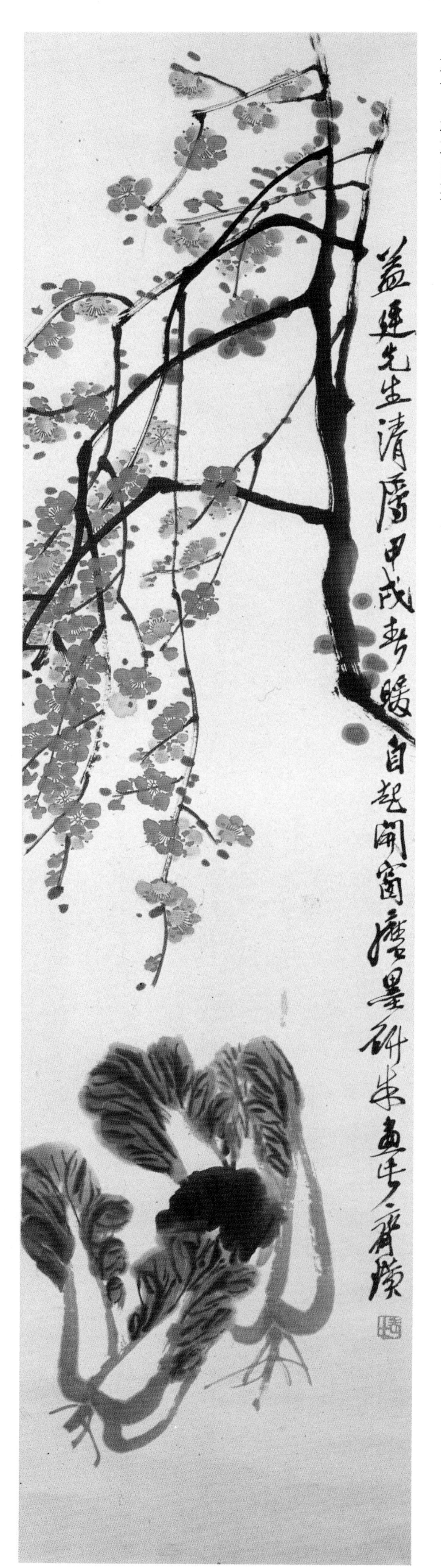

六一　梅花白菜　一九三四年　縱一三七厘米　橫三三·七厘米

六二一　梅花　一九三四年　縱六一・八厘米　横三〇厘米

六三　螃蟹　一九三四年　縱一三四・八厘米　横三三一・九厘米

螃蟹（局部）

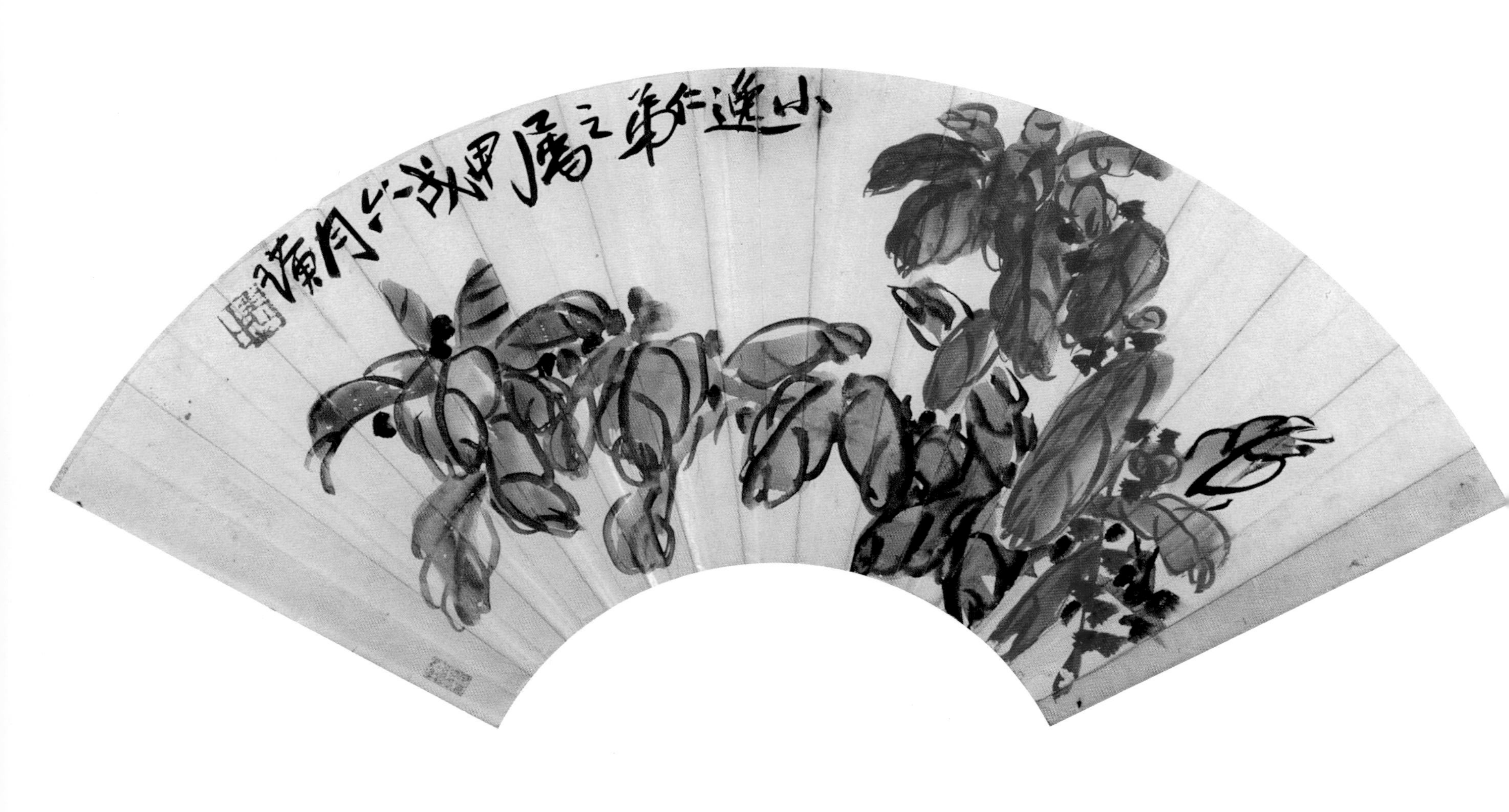

六四　雁來紅（扇面）一九三四年　縱一九厘米　横五六厘米

六五　育雛圖　一九三四年　縱一三八厘米　横四一·五厘米

六六　八哥鳥籠　一九三四年　縱五七厘米　橫三三·五厘米

六七　玉蘭八哥　一九三四年　縱七八厘米　横三三厘米

六八　雁來紅蜻蜓　一九三四年　縱九八厘米　橫三三厘米

六九　雙魚寄遠（蟲魚册之二）　一九三四年　縱二七厘米　橫一六厘米

七〇　款款而來（蟲魚册之二）　一九三四年　縱二七厘米　横一六厘米

七一　休負雷雨（蟲魚册之三）　一九三四年　縱二七厘米　橫一六厘米

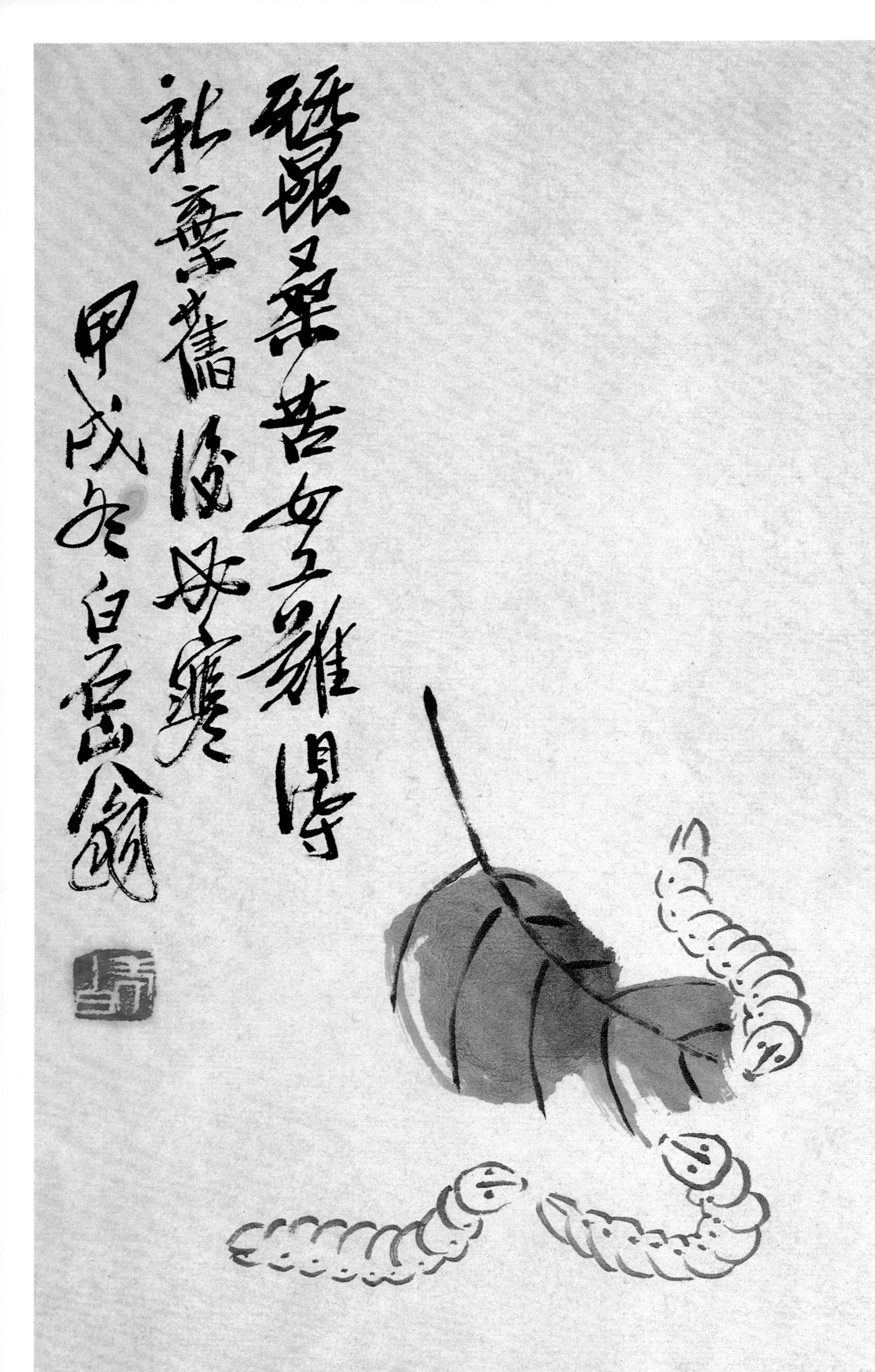

七二　桑蠶　（蟲魚冊之四）　一九三四年　縱二七厘米　橫一六厘米

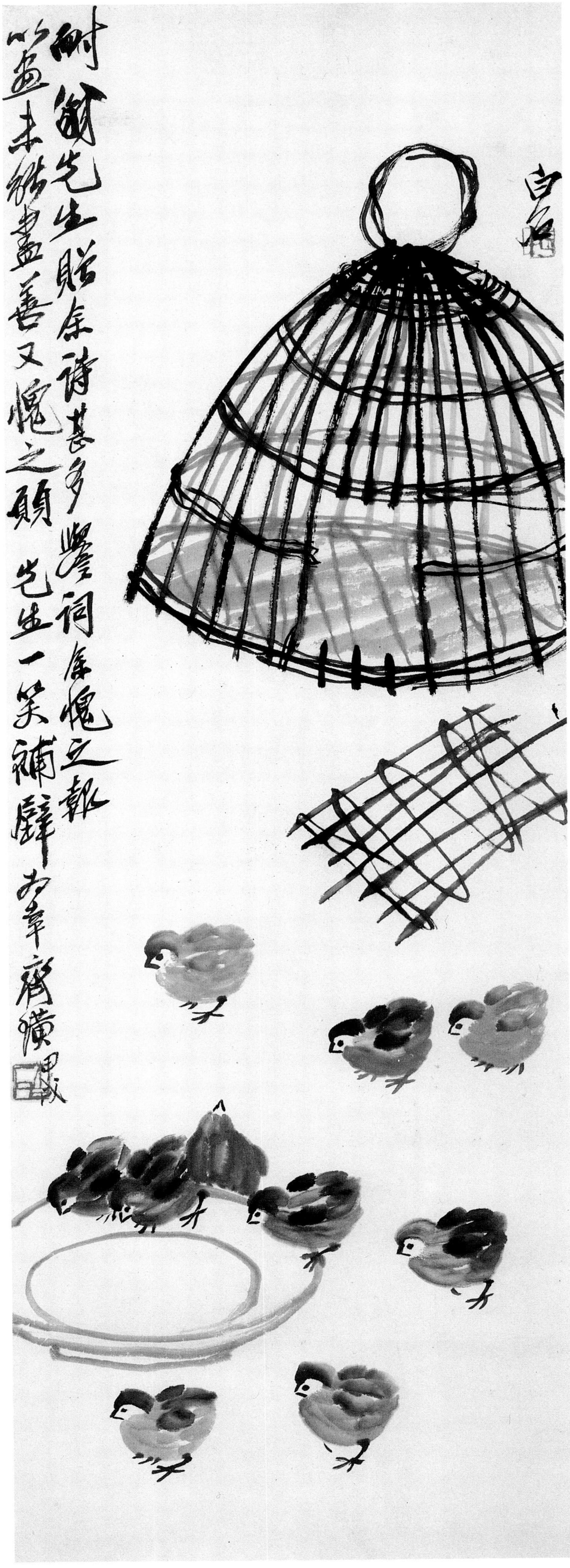

七三　小鷄出籠　一九三四年　縱一〇一·五厘米　橫三五厘米

七四　菊花蜻蜓　一九三四年　縱一四一·七厘米　横四〇厘米

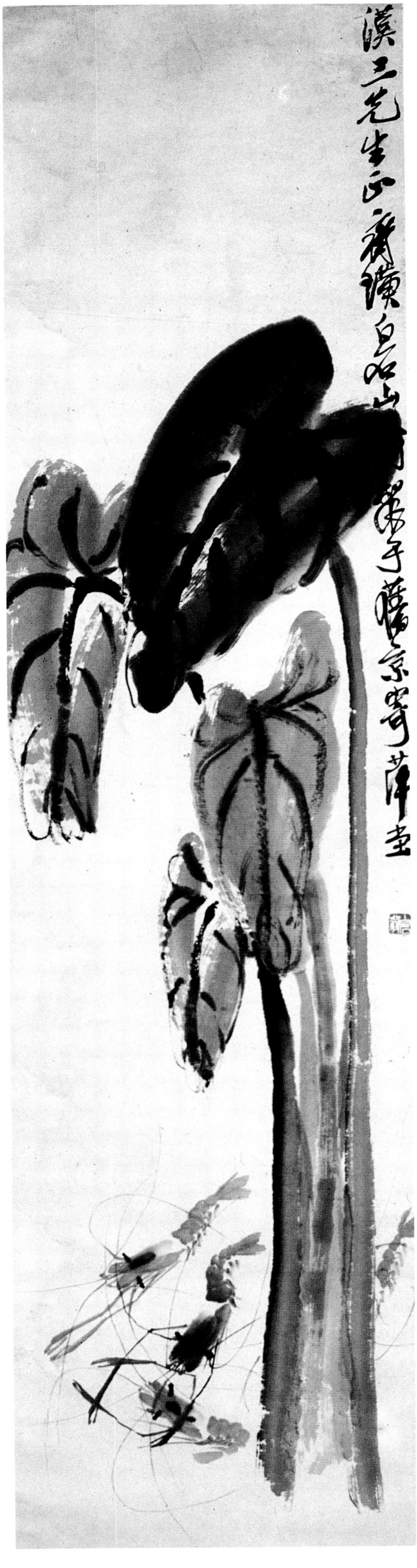

七五　芋葉游蝦　一九三四年　縱一三五厘米　橫三三・五厘米

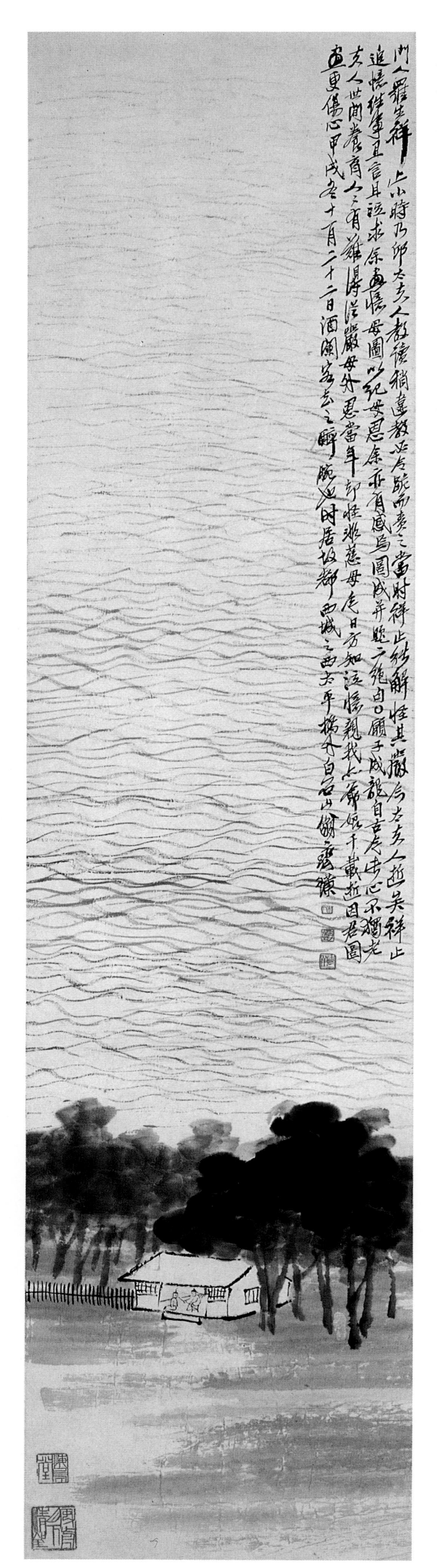

七六　教子圖　一九三五年　縱一三六・八厘米　橫三三・四厘米

七七 松鷹圖 一九三五年 縱一五〇厘米 橫六三厘米

七八　雙鴨　一九三五年　縱二八厘米　橫一八厘米

七九　松鼠葡萄

一九三五年　縱一二五·三厘米　橫三〇厘米

八〇　紫藤蜜蜂　一九三五年　縱一一二厘米　橫四三厘米

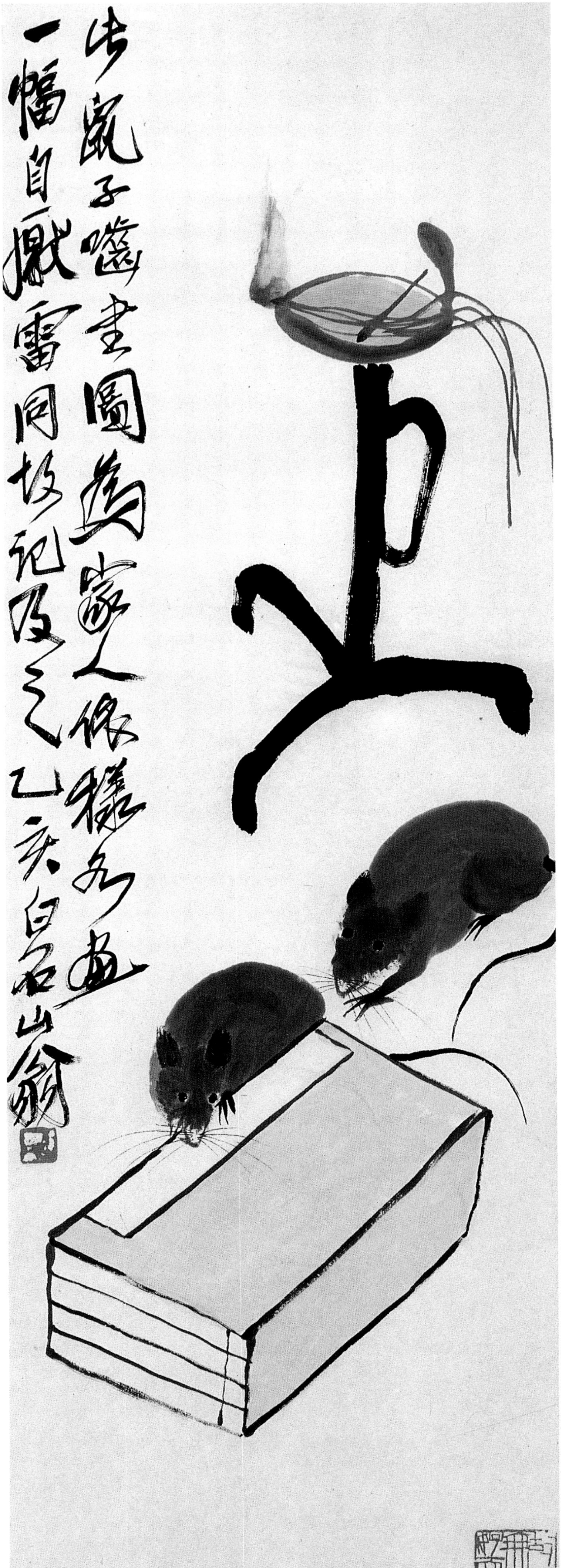

八一　鼠子嚙書圖　一九三五年　縱一〇三・一厘米　横三四・五厘米

八二　柳魚圖　一九三五年　縱一三七厘米　橫三四厘米

八三　長年圖　一九三五年　縱九三厘米　橫三二·七厘米

八四　水草游蝦（扇面）一九三五年　縱一八·五厘米　横五五厘米

八五　鷄　一九三五年　縱一〇五・五厘米　横三二厘米

八六　仕女騎馬圖　一九三五年　縱九九厘米　橫三三厘米

八七　壽酒神仙　一九三五年　縱一一四・五厘米　橫六三厘米

八八　捧桃圖　一九三六年　縱一一一厘米　橫四七厘米

八九　鐘馗搔背圖　一九三六年　縱九六・二厘米　横四四・七厘米

九〇 拈花微笑 一九三六年 縱一三四厘米 橫五二·五厘米

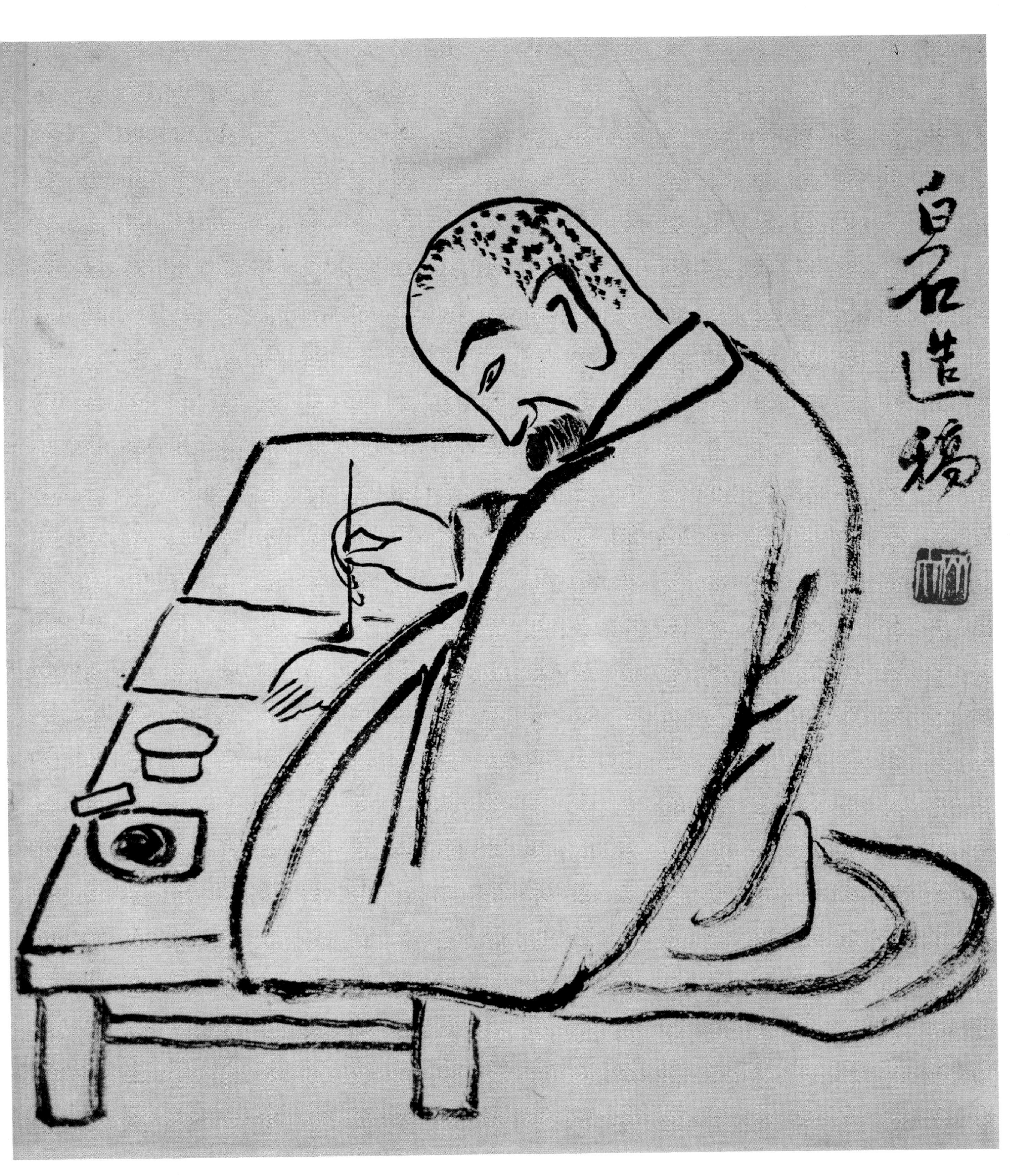

九一　作畫（人物畫稿之一）一九三六年　縱三二厘米　橫二七·五厘米

九二　玩硯（人物畫稿之二）一九三六年　縱三二厘米　橫二七·五厘米

九三　醉歸（人物畫稿之三）一九三六年　縱三二厘米　橫二七·五厘米

九四　盜酒（人物畫稿之四）一九三六年　縱三二厘米　橫二七·五厘米

九五　捅鼻（人物畫稿之五）一九三六年　縱三二厘米　橫二七·五厘米

九六　煮茶（人物畫稿之六）一九三六年　縱三二厘米　橫二七·五厘米

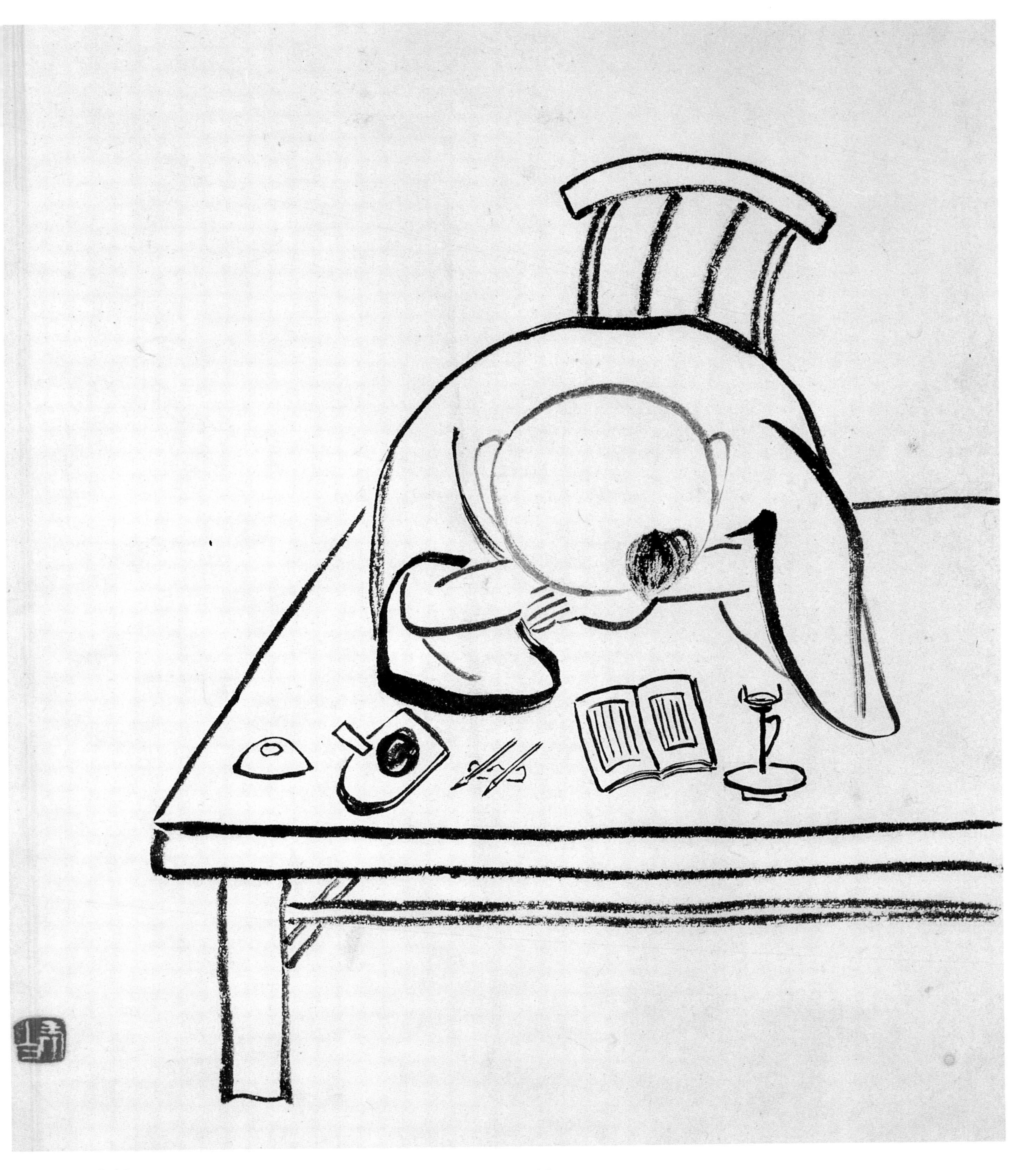

九七　夜讀（人物畫稿之七）一九三六年　縱三二厘米　橫二七·五厘米

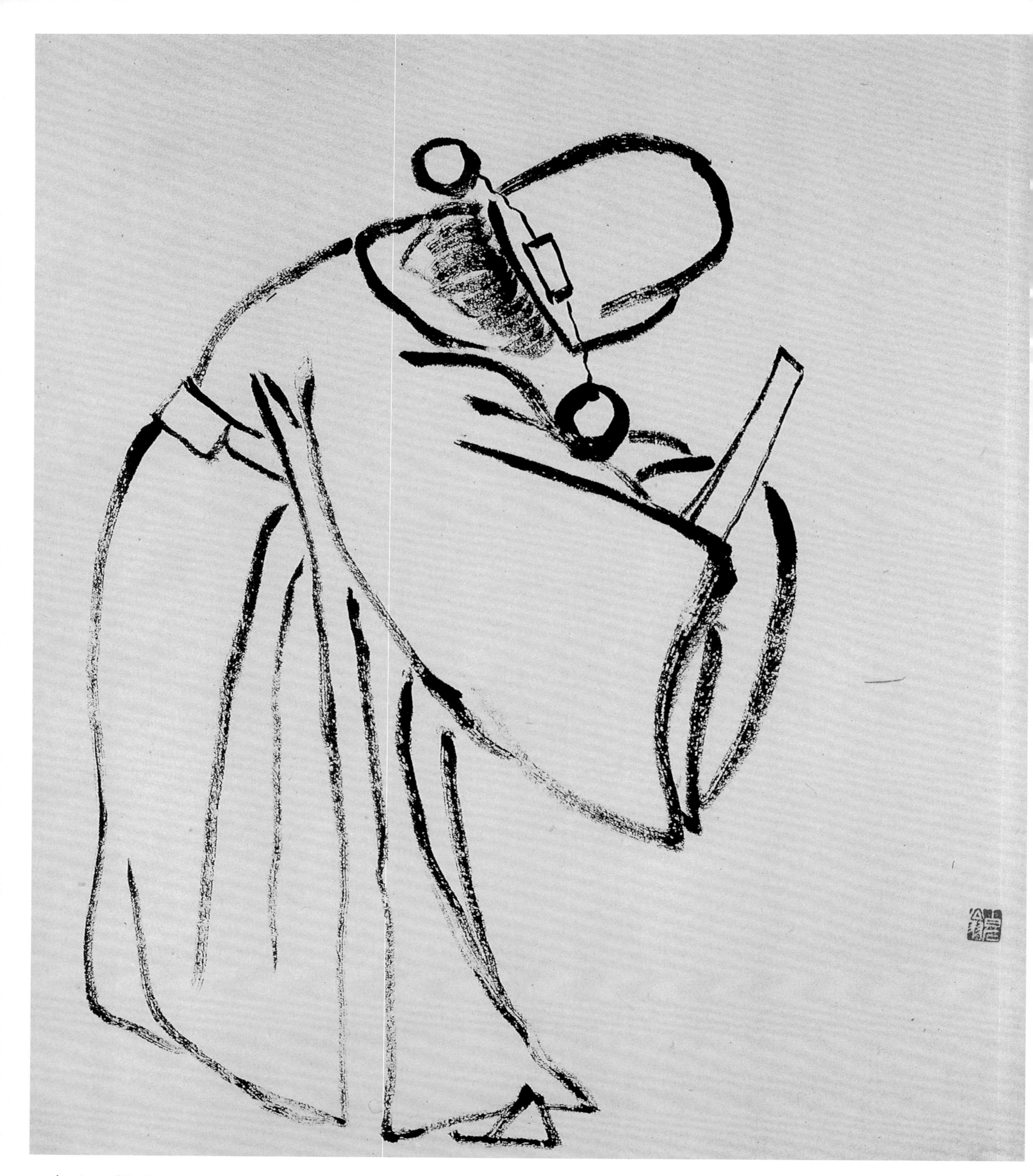

九八　拜石（人物畫稿之八）一九三六年　縱三二厘米　橫二七·五厘米

九九　撫琴（人物畫稿之九）一九三六年　縱三二厘米　橫二七·五厘米

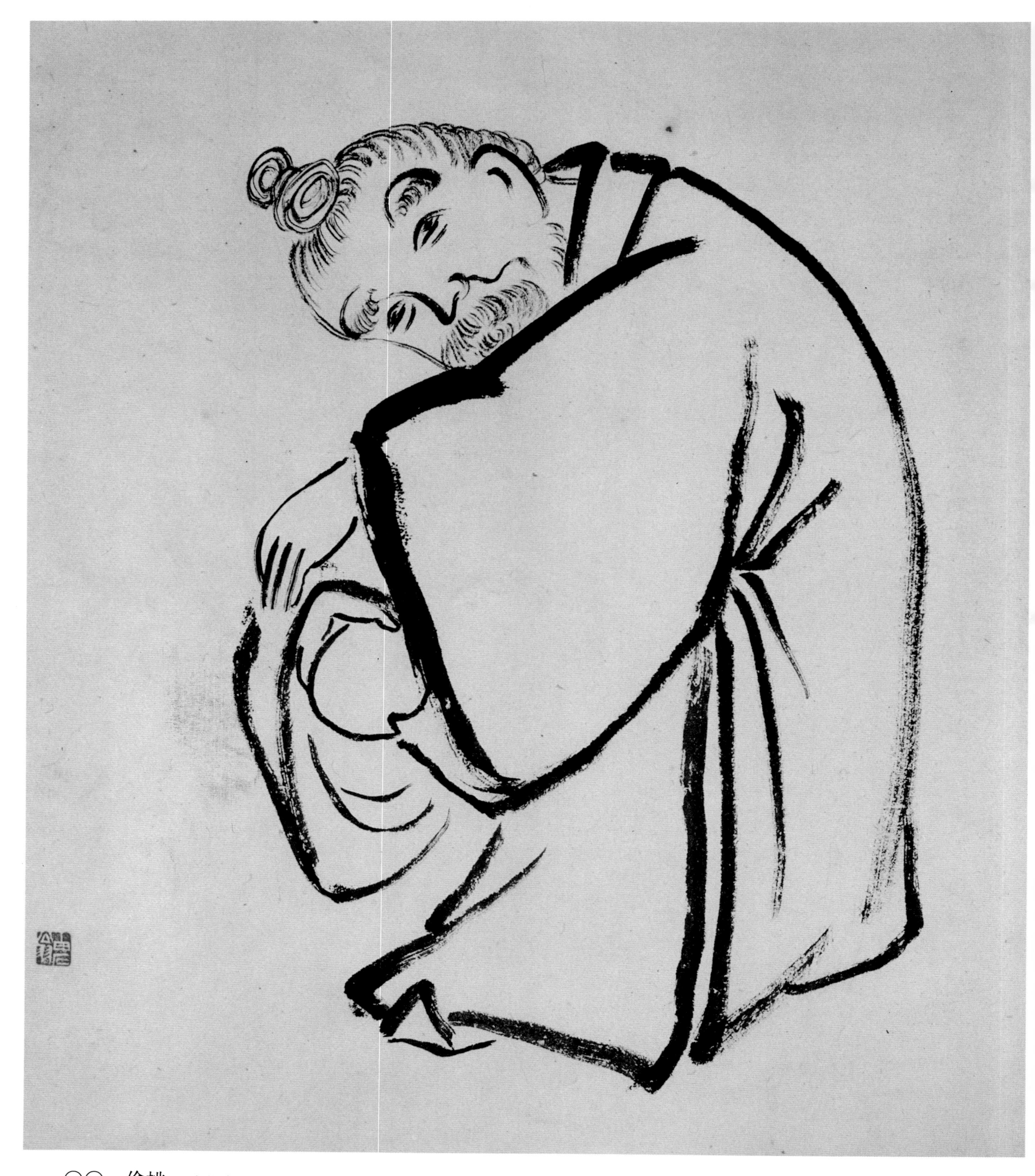

一〇〇　偷桃（人物畫稿之十）一九三六年　縱三二厘米　橫二七·五厘米

一〇一　挖耳（人物畫稿之十一）一九三六年　縱三二厘米　横二七·五厘米

一〇二 墨荷

一九三六年 縱一三五・一厘米 横三三・二厘米

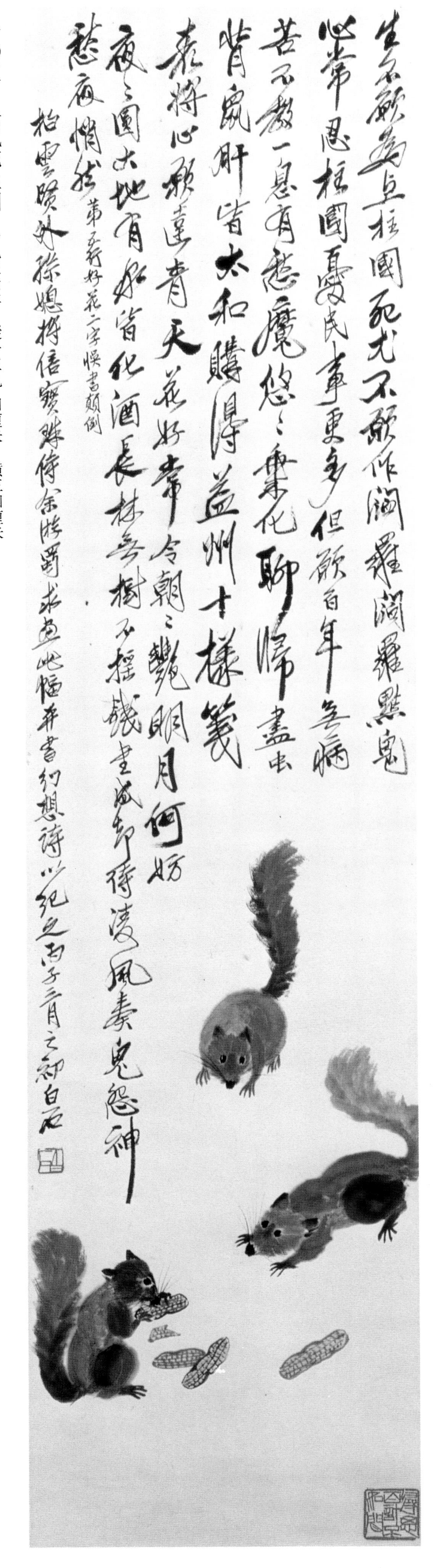

一〇三　松鼠花生圖　一九三六年　縱一三九·四厘米　橫三四厘米

一〇四　長年圖　一九三六年　縱一一七厘米　橫三四厘米

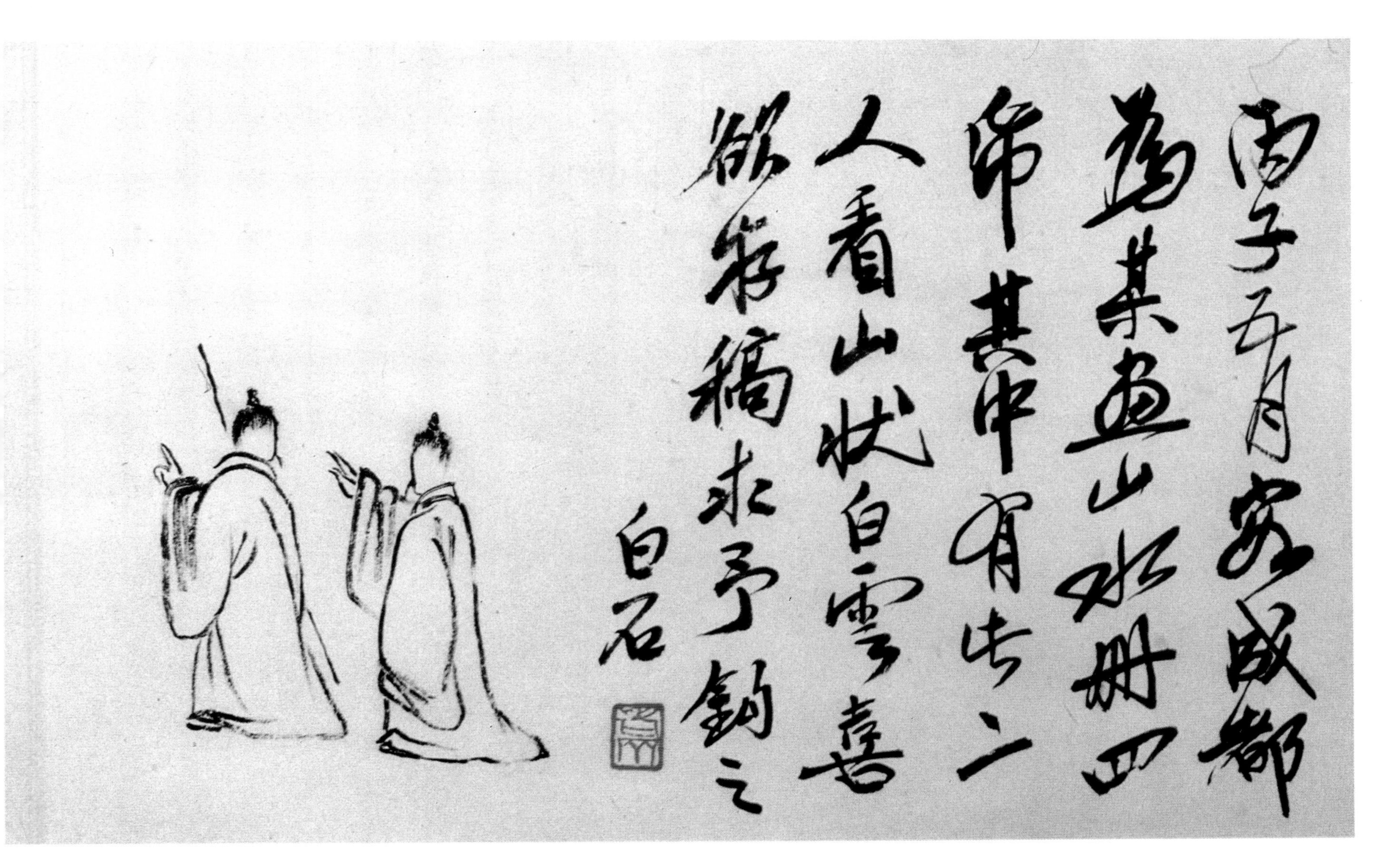

一〇五　人物畫稿　一九三六年　縱二〇厘米　横三二厘米

一〇六　松鳥圖　一九三六年　縱一四〇厘米　橫三四·四厘米

松鳥圖 （局部）

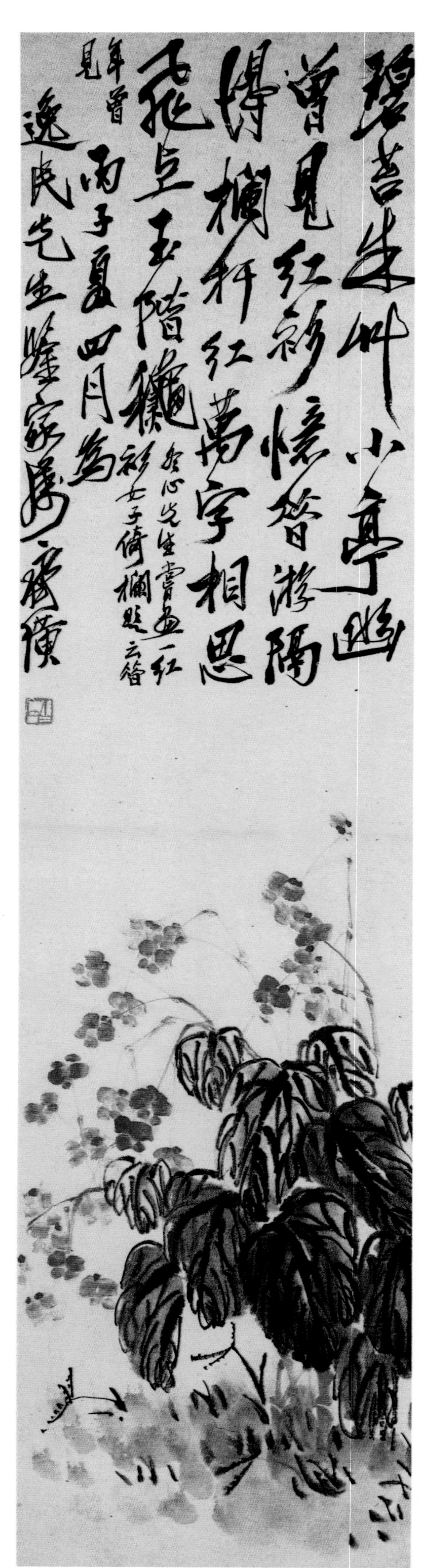

一〇七　秋海棠　一九三六年　縱一三五厘米　橫三四厘米

一〇八　芙蓉　一九三六年　縱一三四厘米　橫三三厘米

一〇九　蘆蟹圖　一九三六年　縱一一二厘米　橫三三厘米

一一〇 白菜小鷄 一九三六年 縱一三七·二厘米 横三五·一厘米

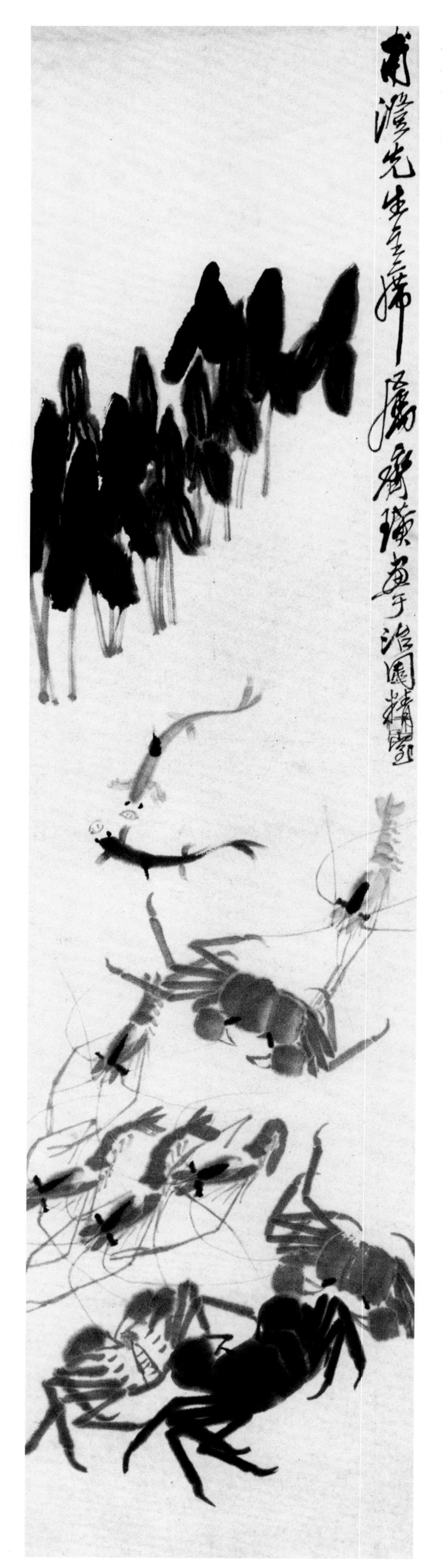

一一一 蝦蟹圖

一九三六年　縱一三九·九厘米　橫三四·四厘米

蝦蟹圖（局部）

一一二　九秋圖　一九三六年　縱三八·六厘米　橫四四四·三厘米

一一三

牽牛花

一九三六年　縱六八・九厘米　横三四・九厘米

一一四　芭蕉烏鴉

一九三六年　縱一八〇厘米　横四七厘米

一一五 螃蟹 一九三六年 縱一四三厘米 橫三四·五厘米

螃蟹 （局部）

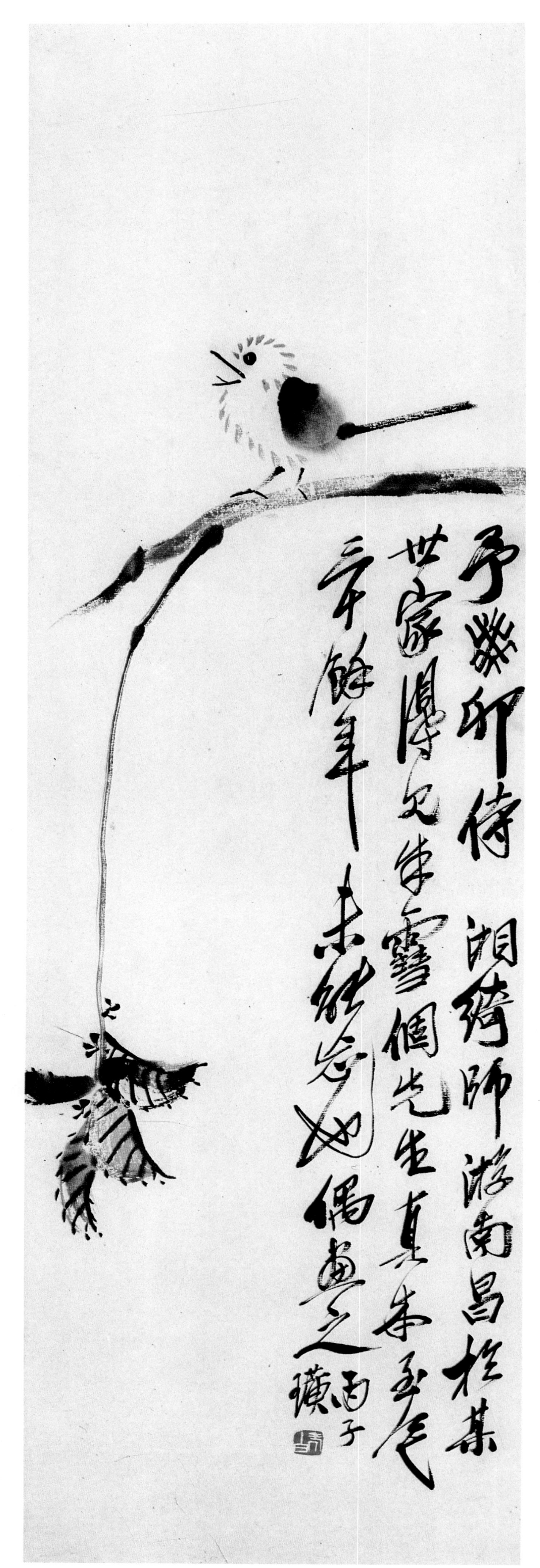

一一六　仿八大山人花鳥　一九三六年　縱八〇·五厘米　橫二四·七厘米

一一七 牡丹 一九三六年 縱一三七厘米 橫三四厘米

一一八　棕樹麻雀　一九三六年　縱一三八・五厘米　横三三・八厘米

棕樹麻雀 （局部）

一一九 紅梅

一九三六年 縱一三五厘米 橫三三厘米

一二〇　魚樂圖　一九三六年　縱一三〇厘米　橫三一厘米

一二一　青蛙蝌蚪　一九三六年　縱一〇六·五厘米　横二一五厘米

一二二　香火螳螂圖　一九三六年　縱八二厘米　横一八·三厘米

一二三 春風歸帆圖

一九三六年 縱一〇四厘米 横四〇・五厘米

一二四　揚帆圖　約三十年代中期　縱一一七厘米　橫二六厘米

一二五　梅花草堂圖　一九三六年　縱八三厘米　橫八三厘米

一二六　山居圖　約三十年代中期　縱一〇三厘米　橫三八厘米

一二七　柳屋水禽圖

約三十年代中期　縱一三三·七厘米　横三八·七厘米

柳屋水禽圖（局部）

一二八　柏屋山居　約三十年代中期　縱一〇〇厘米　橫三三厘米

一二九　江畔松居　約三十年代中期　縱六四·五厘米　橫三一·五厘米

一三〇　祇有扁舟同患難　約三十年代中期　縱七三厘米　橫二〇・五厘米

一三一　秋山晚照　約三十年代中期　縱一五三·七厘米　横四一·六厘米

一三二　耕種圖（人物條屏之一）　約三十年代中期　縱一一七厘米　橫三七厘米

一三三 湖海讀書圖（人物條屏之二） 約三十年代中期 縱一一七厘米 橫三七厘米

一三四　魚釣圖（人物條屏之三）約三十年代中期　縱一一七厘米　橫三七厘米

一三五　休閑圖（人物條屏之一）約三十年代中期　縱一二〇厘米　橫三五厘米

一三六 撫劍圖 （人物條屏之二） 約三十年代中期 縱一二〇厘米 橫三五厘米

一三七　降妖圖（人物條屏之三）　約三十年代中期　縱一二〇厘米　橫三五厘米

一三八　踏雪尋梅圖（人物條屏之四）　約三十年代中期　縱一二〇厘米　橫三五厘米

一三九　坐禪圖

約三十年代中期　縱一〇六厘米　橫五二厘米

一四〇　觀音

約三十年代中期　縱一〇一·五厘米　橫三三·五厘米

一四一　拈花微笑　約三十年代中期　縱一〇三·五厘米　橫三四厘米

一四二　童戲圖　約三十年代中期　縱五二厘米　橫一〇・八厘米

一四三　老當益壯　約三十年代中期　縱一〇〇厘米　橫三三・五厘米

一四四　玩硯圖　約三十年代中期　縱四一厘米　橫三〇·三厘米

一四五　芙蓉（花卉條屏之一）　約三十年代中期　縱一〇一厘米　橫二九厘米

一四六　藤蘿（花卉條屏之二）約三十年代中期　縱一〇一厘米　横二九厘米

一四七　海棠（花卉條屏之三）　約三十年代中期　縱一〇一厘米　橫二九厘米

一四八　緑梅

（花卉條屏之四）　約三十年代中期　縱一〇一厘米　横二九厘米

一四九 珠散星懸

約三十年代中期 縱一〇〇·一厘米 橫三三厘米

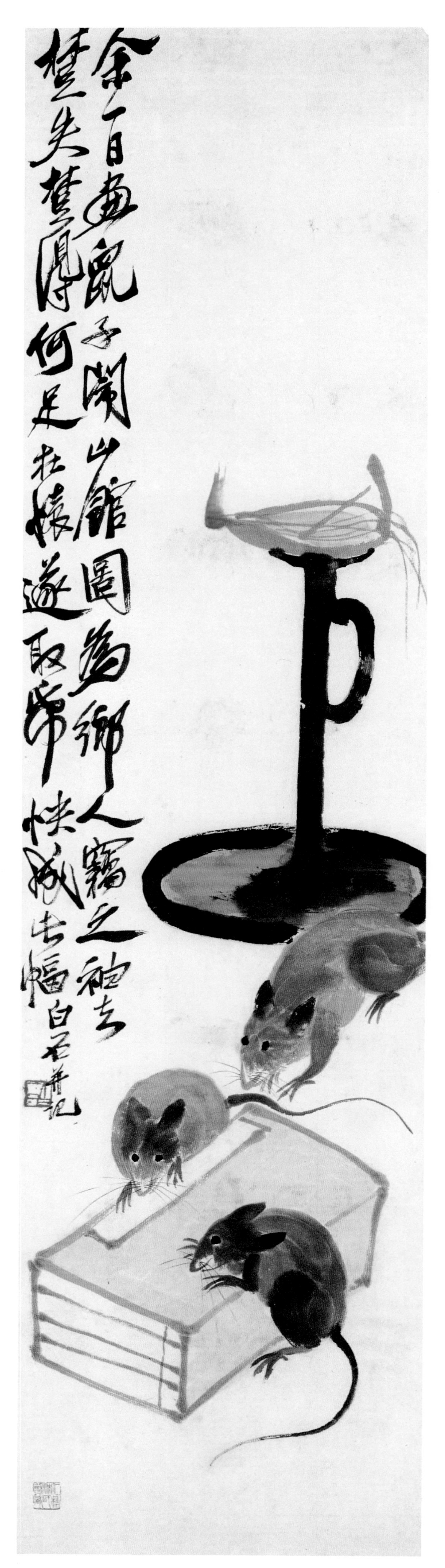

一五〇 鼠子鬧山館

約三十年代中期 縱一二九厘米 橫三三・四厘米

一五一　鼠子嚙書圖　約三十年代中期　縱一四三・七厘米　橫三五厘米

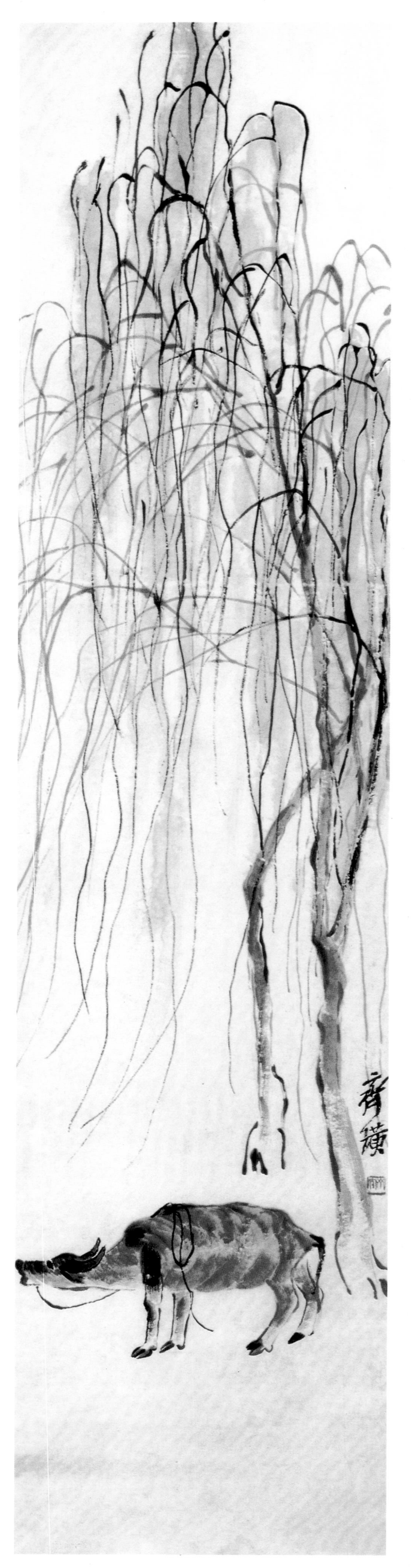

一五二　柳牛圖

約三十年代中期　縱一三二厘米　橫二一・七厘米

一五三　枯樹雙鴉　約三十年代中期　縱一三〇厘米　橫三四厘米

一五四　蝴蝶蘭　約三十年代中期　縱一三六厘米　橫三三厘米

一五五　藤蘿　約三十年代中期　縱九九厘米　橫三三·五厘米

寄萍堂上老人白石

一五六　秋海棠　約三十年代中期　縱一三一厘米　橫三三·五厘米

一五七　蜻蜓戲水圖　約三十年代中期　縱一〇一厘米　横三二·四厘米

一五八　簍蟹

約三十年代中期　縱六七·六厘米　橫三四·五厘米

一五九　松鼠葡萄　約三十年代中期　縱一三五・四厘米　橫三三・八厘米

一六〇　藤蘿

約三十年代中期　縱一三五·五厘米　橫三三·九厘米

一六一　雁來紅草蟲　約三十年代中期　縱九五厘米　橫三一·五厘米

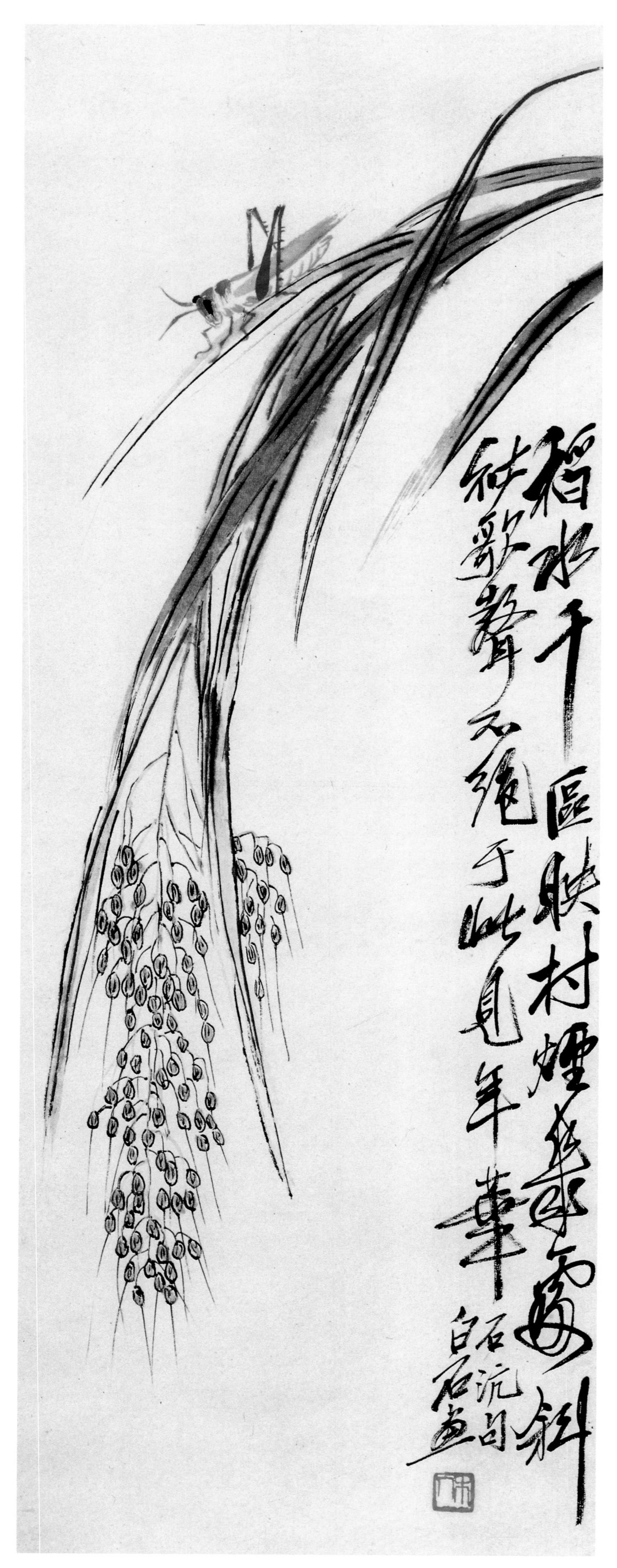

一六二一 稻穗草蟲 約三十年代中期 縱一〇四厘米 橫三六厘米

一六三　稻穗蝗蟲　（花果草蟲册之一）　約三十年代中期　縱二六厘米　橫一九厘米

一六四　藤蘿（花果草蟲册之二）　約三十年代中期　縱二六厘米　橫一九厘米

一六五　蝌蚪（花果草蟲冊之三）　約三十年代中期　縱二六厘米　橫一九厘米

一六六　絲瓜　（花果草蟲冊之四）　約三十年代中期　縱二六厘米　横一九厘米

一六七　菊花（花果草蟲册之五）　約三十年代中期　縱二六厘米　橫一九厘米

一六八　梅花喜鵲　約三十年代中期　縱一三六厘米　横三六厘米

一六九　藤蘿　約三十年代中期　縱一四〇厘米　橫三三厘米

一七〇 藤蘿

約三十年代中期 縱一三二厘米 橫一五厘米

一七一　柿子　約三十年代中期　縱一八一厘米　橫四三厘米

一七二　石榴

約三十年代中期　縱一三二厘米　橫一五厘米

一七三　葫蘆（扇面）約三十年代中期　縱一八·八厘米　橫五〇·六厘米

一七四　蘆葦群蝦

約三十年代中期　縱一六八厘米　橫四二·九厘米

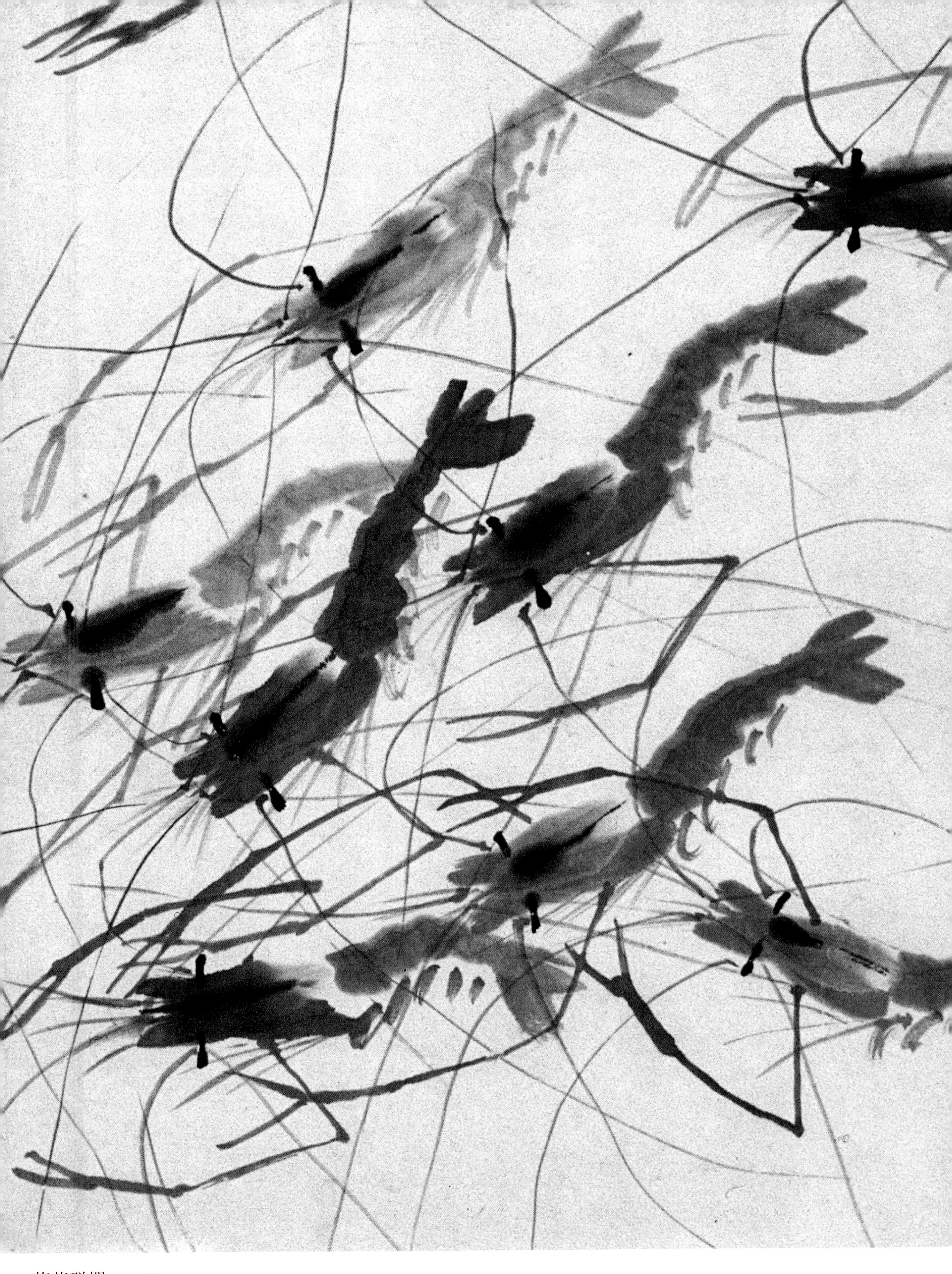

蘆葦群蝦　（局部）

一七五　蜻蜓荷花

約三十年代中期　縱一一八・六厘米　橫三三厘米

一七六　清白傳家圖　約三十年代中期　縱一三七厘米　橫三三·五厘米

一七七 棕樹小鷄 約三十年代中期 縱六六厘米 橫三四厘米

一七八　藤蘿蜜蜂（扇面）約三十年代中期　縱一八·八厘米　橫五〇·六厘米

小名阿芝画

一七九　荔枝

約三十年代中期　縱三三厘米　橫三四厘米

一八〇　兔子白菜　約三十年代中期　縱八〇厘米　橫四〇厘米

一八一　玉蘭　約三十年代中期　縱八三厘米　橫三二厘米

一八二　松鷹　約三十年代中期　縱一五二·七厘米　橫七四厘米

一八三　清白　約三十年代中期　縱八二厘米　橫三三厘米

一八四　荷花蜻蜓

約三十年代中期　縱八〇厘米　橫四〇厘米

一八五　蝴蝶蘭蜻蜓（扇面）約三十年代中期　縱一八·八厘米　橫五〇·六厘米

一八六　三魚圖　約三十年代中期　縱一八·五厘米　橫二七厘米

杏子隖老民製

一八七　芭蕉群雛

約三十年代中期　縱一四四·五厘米　橫三四·五厘米

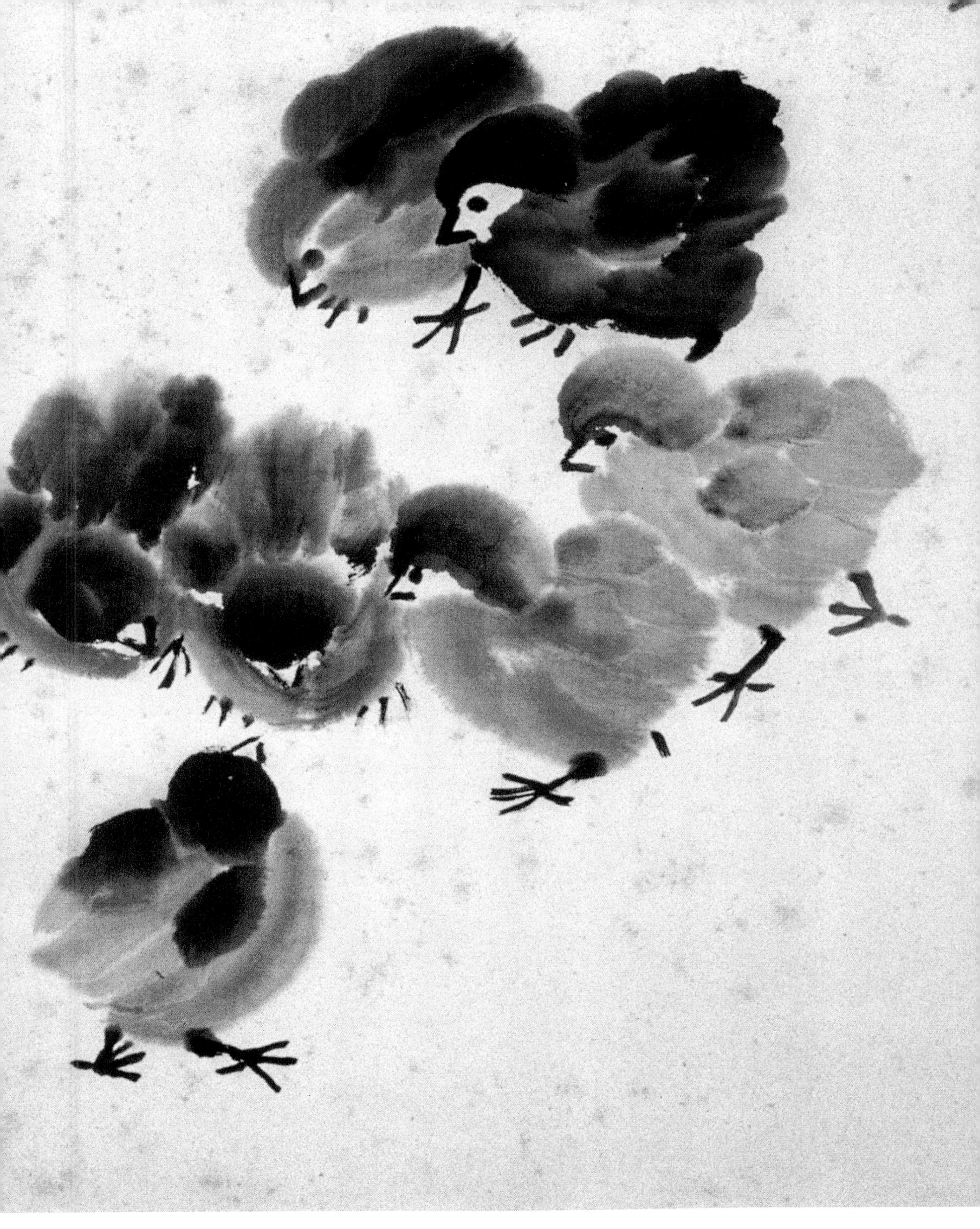

芭蕉群雛　（局部）

一八八　枯荷

約三十年代中期　縱一八三厘米　橫五六厘米

一八九　秋光圖　約三十年代中期　縱一一二·八厘米　橫四九厘米

一九〇　稻穗蚱蜢（扇面）約三十年代中期　縱一八·八厘米　橫五〇·六厘米

一九一　蓮蓬蜻蜓

約三十年代中期　縱一三五·五厘米　橫三二·八厘米

一九二 對花獻酒圖 約三十年代中期 縱六三厘米 橫三四厘米

一九三　蘭花　約三十年代中期　縱四五·七厘米　橫四一厘米

一九四 竹子桃花

約三十年代中期 縱一二二·五厘米 橫三二·四厘米

竹子桃花 （局部）

一九五　芭蕉花卉

約三十年代中期　縱一二五厘米　橫三九厘米

一九六　松芝長壽

約三十年代中期　縱一二四厘米　橫三〇厘米

一九七　石榴　約三十年代中期　縱一三七・二厘米　橫三四厘米

一九八　松鷹圖

約三十年代中期　縱一七九厘米　横四八厘米

一九九　松鳥圖

約三十年代中期　縱一〇一·五厘米　橫三三厘米

松鷹圖 （局部）

二〇〇　南瓜

約三十年代中期　縱一三四·五厘米　橫三三厘米

二〇一　柳牛圖　約三十年代中期　縱八一·五厘米　橫二四·四厘米

二〇二　玉米　約三十年代中期　縱一〇八·七厘米　橫三五厘米

二〇三　松鷹圖　約三十年代中期　縱一三〇·五厘米　橫六二·五厘米

二〇四 松鷹圖

約三十年代中期 縱一七九・五厘米 橫六四厘米

松鷹圖 （局部）

二〇五　玉簪蜻蜓　約三十年代中期　縱八四厘米　橫三四厘米

二〇六　菜根滋味　約三十年代中期　縱六五厘米　橫三二厘米

二〇七 青蛙

約三十年代中期 縱一二五·八厘米 橫三一·八厘米

二〇八　棕樹

約三十年代中期　縱一六八・五厘米　橫四〇厘米

二〇九　牽牛草蟲　約三十年代中期　縱一〇〇·一厘米　橫三三·二厘米

牽牛草蟲（局部）

二一〇 雛鷄出籠 約三十年代中期 縱一三〇厘米 橫三二厘米

二一一　鷄

約三十年代中期　縱一〇〇厘米　横三四厘米

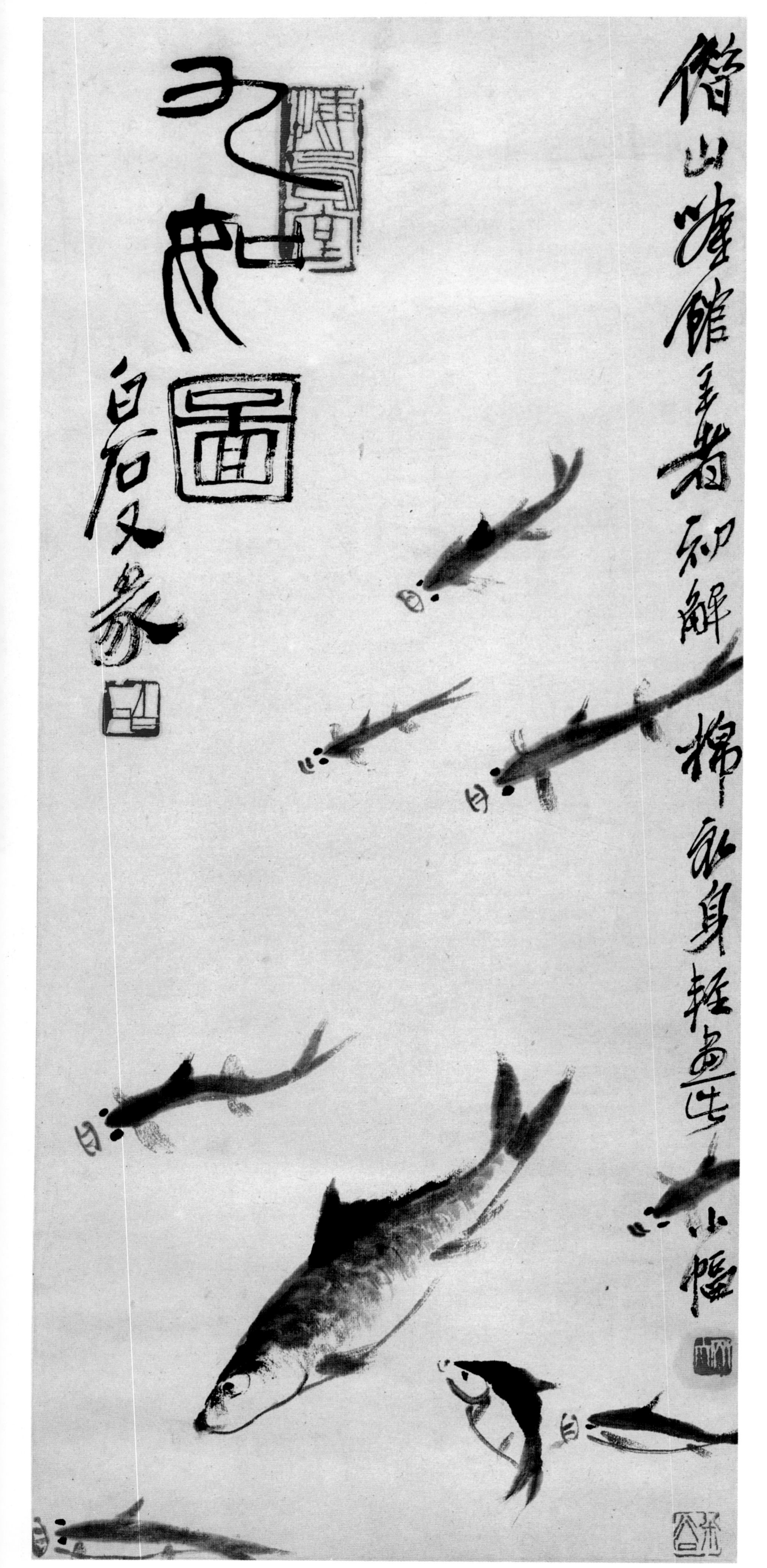

二一二

九如圖　約三十年代中期　縱六三・五厘米　橫三〇・二厘米

九如圖 （局部）

二一三 紅蓼雙鴨

約三十年代中期 縱一四九厘米 橫四九厘米

二一四　貝葉工蟲　約三十年代中期　縱一四〇厘米　橫三七厘米

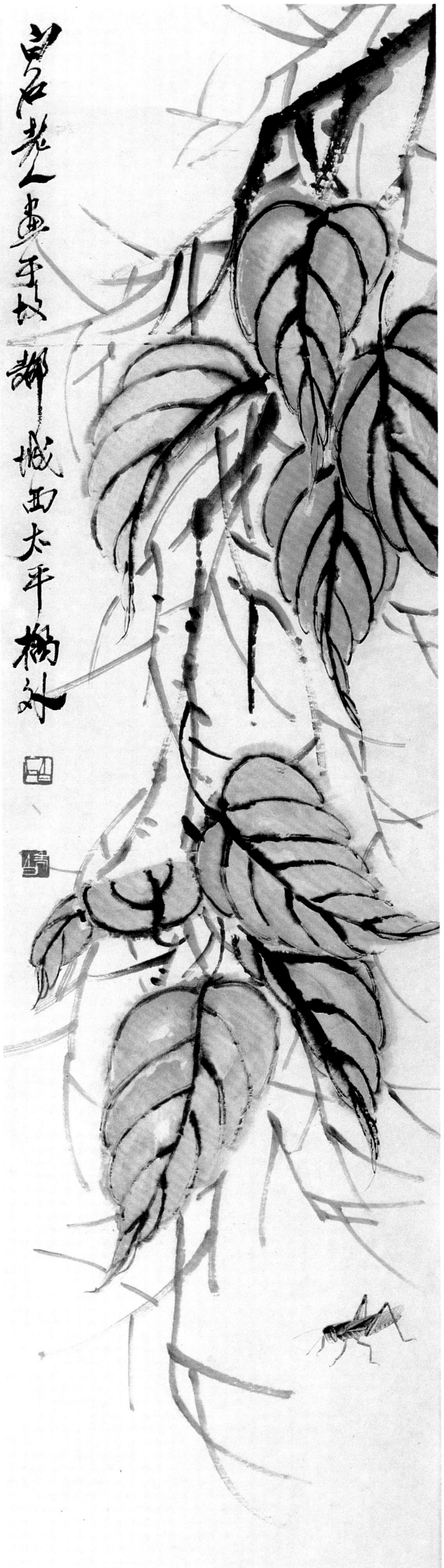

二一五　松鼠争食圖　一九三七年　縱一三〇厘米　橫三三·五厘米

二一六　松鼠　一九三七年　縱一三五厘米　橫三四厘米

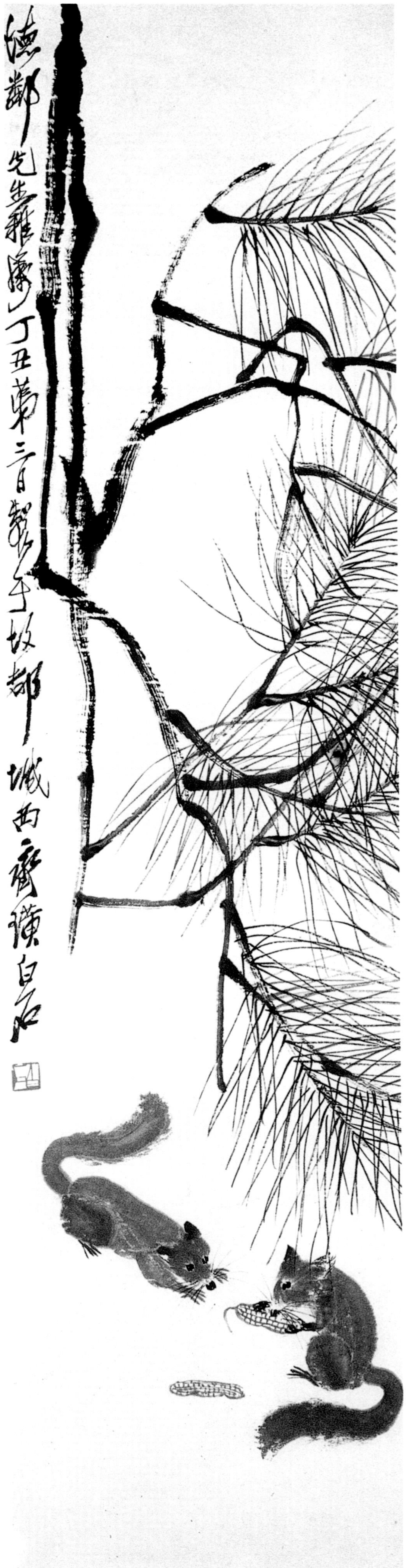

二一七 公鷄 一九三七年 縱六七·四厘米 橫三四·四厘米

二一八 群蝦圖 一九三七年 縱一七六・八厘米 橫四五厘米

二一九　松鼠　一九三七年　縱一二三・二厘米　横三〇厘米

二二〇　柳牛圖　一九三七年　縱八四·五厘米　橫三六·五厘米

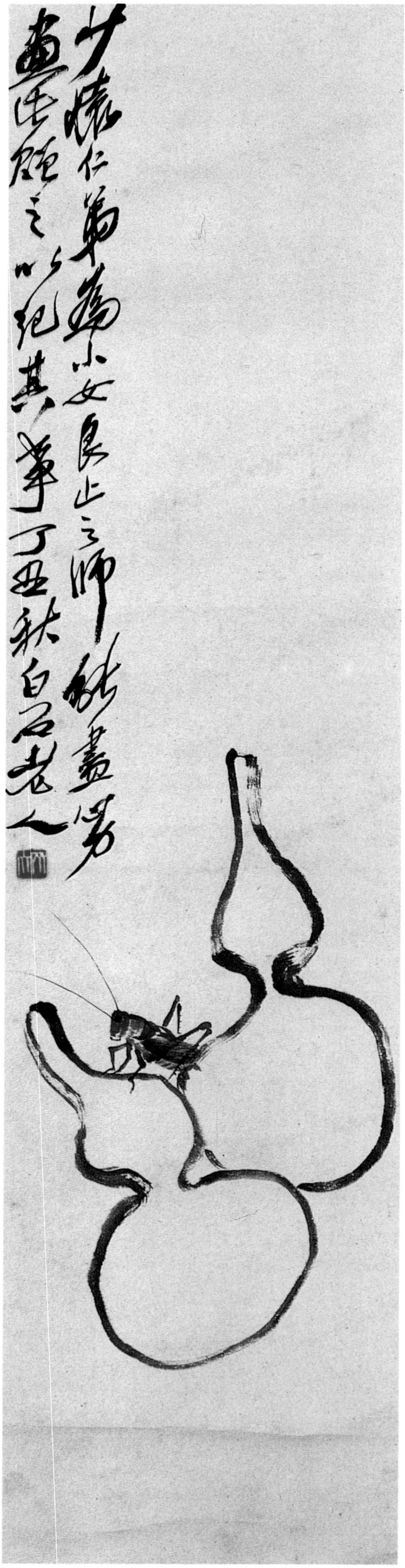

二二一　葫蘆蟈蟈　一九三七年　縱九〇・八厘米　橫二一・三厘米

二二二　三子圖　一九三七年　縱八七厘米　橫七〇厘米

二二三　仁者多壽　一九三七年　縱一三五・八厘米　横三二・八厘米

仁者多壽（局部）

丁丑年七十七矣时居舊都

二二四　白菜蟈蟈　一九三七年　縱六八·五厘米　橫三四·五厘米

二二五　紫藤（扇面）一九三七年　縱二四厘米　橫六四厘米

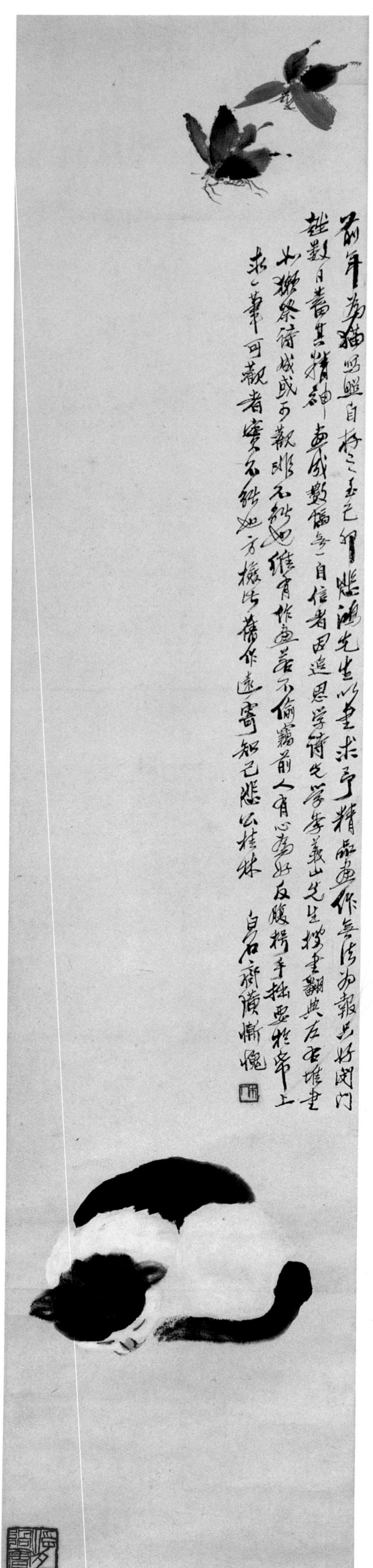
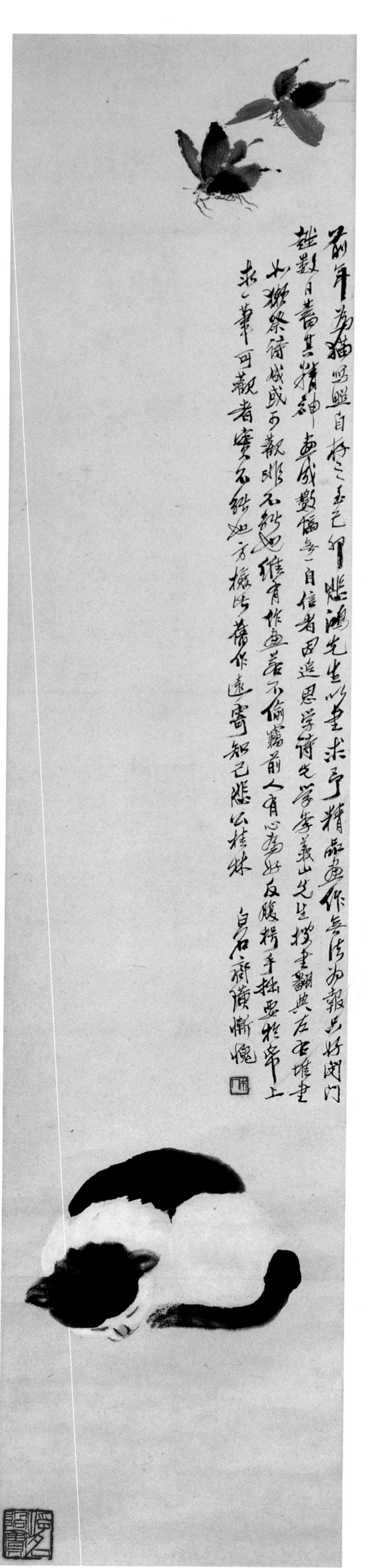

二三六 耄耋圖 一九三七年 縱一三〇厘米 橫二八厘米

耄耋圖 （局部）

二三七　春風　一九三七年　縱一二六・八厘米　橫七五厘米

二二八　南無西方接引阿彌陀佛　一九三七年　縱一〇二·五厘米　横四七·五厘米

二二九　南無西方接引阿彌陀佛　一九三七年　縱一一九厘米　橫五九厘米

二三〇　渡海圖　一九三七年　縱七〇厘米、橫三五厘米

二三一　清平福來（人物册之一）一九三七年　縱二一厘米　横三一·五厘米

二三二　得財（人物册之二）一九三七年　縱二一厘米　横三一·五厘米

二三三　鐵拐李（人物册之三）　一九三七年　縱二一厘米　横三一·五厘米

二三四　鐘馗（人物册之四）一九三七年　縱二一厘米　橫三一·五厘米

二三五　漁翁　（人物册之五）　一九三七年　縱二一厘米　横三一·五厘米

二三六　老農（人物册之六）一九三七年　縱二一厘米　橫三一·五厘米

二三七　松鼠圖　一九三七年　縱一三〇·五厘米　橫三五厘米

二三八　杏花（扇面）一九三八年　縱一九厘米　橫五三厘米

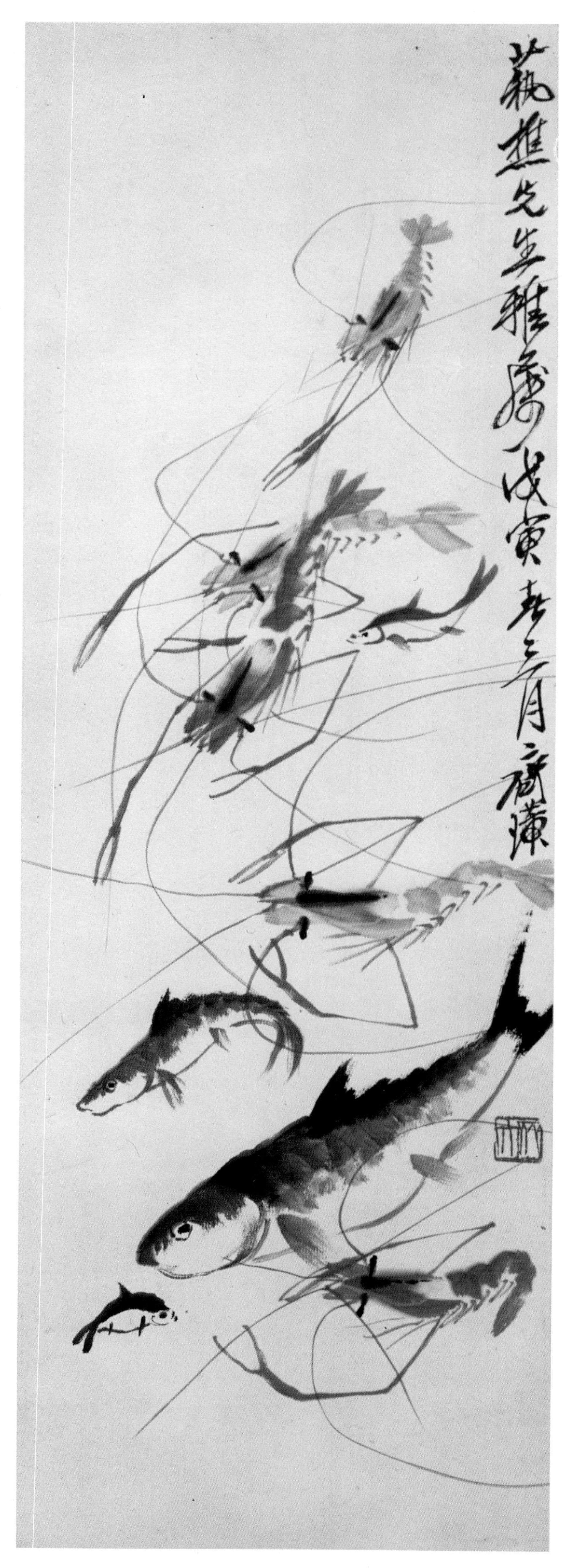

二三九　魚蝦　一九三八年　縱一〇二·五厘米　橫三四厘米

魚蝦 （局部）

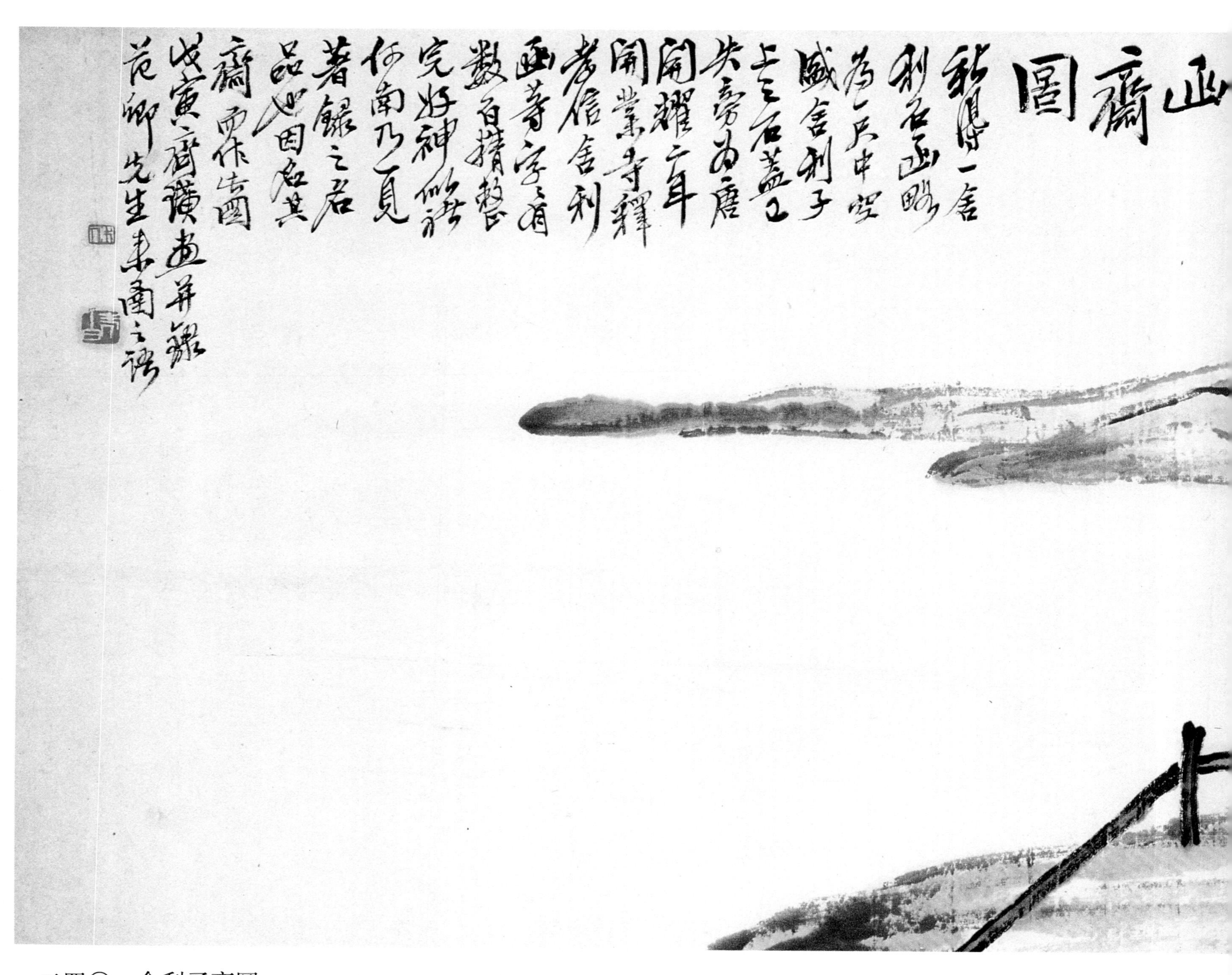

二四〇　舍利函齋圖　一九三八年　縱三五·六厘米　横九三·四厘米

舍

二四一　樹木屋舍　一九三八年　縱二六厘米　橫二〇厘米

二四二　秋光山居圖　一九三八年　縱一〇四厘米　橫三五厘米

二四三　魚蟹　一九三八年　縱八八厘米　橫三六厘米

魚蟹 （局部）

二四四　紅果（蔬果册之一）　一九三八年　縱二〇·五厘米　横八·五厘米

二四五　荔枝（蔬果册之二）　一九三八年　縱二〇·五厘米　横八·五厘米

白石

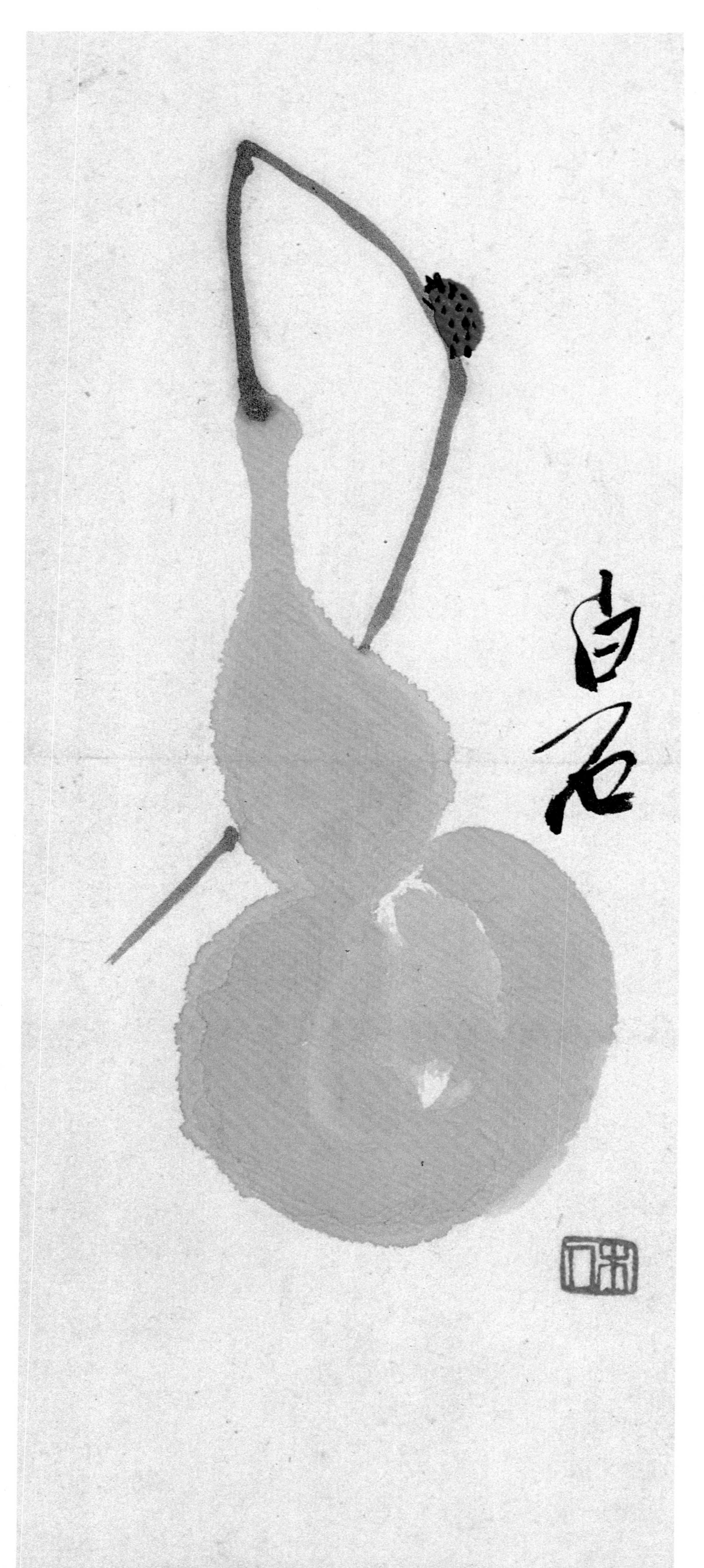

二四六　葫蘆（蔬果册之三）　一九三八年　縱二〇·五厘米　橫八·五厘米

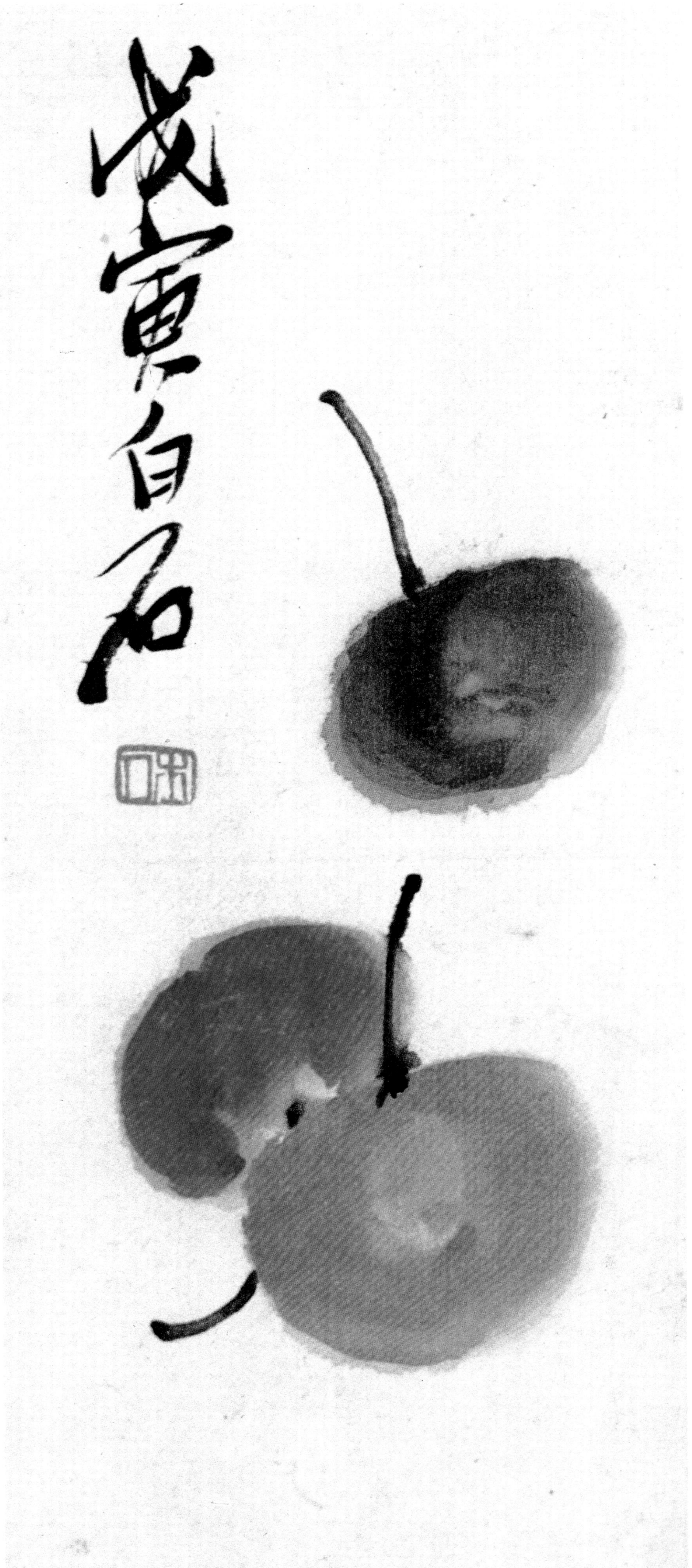

二四七　海棠果（蔬果册之四）　一九三八年　縱二〇·五厘米　橫八·五厘米

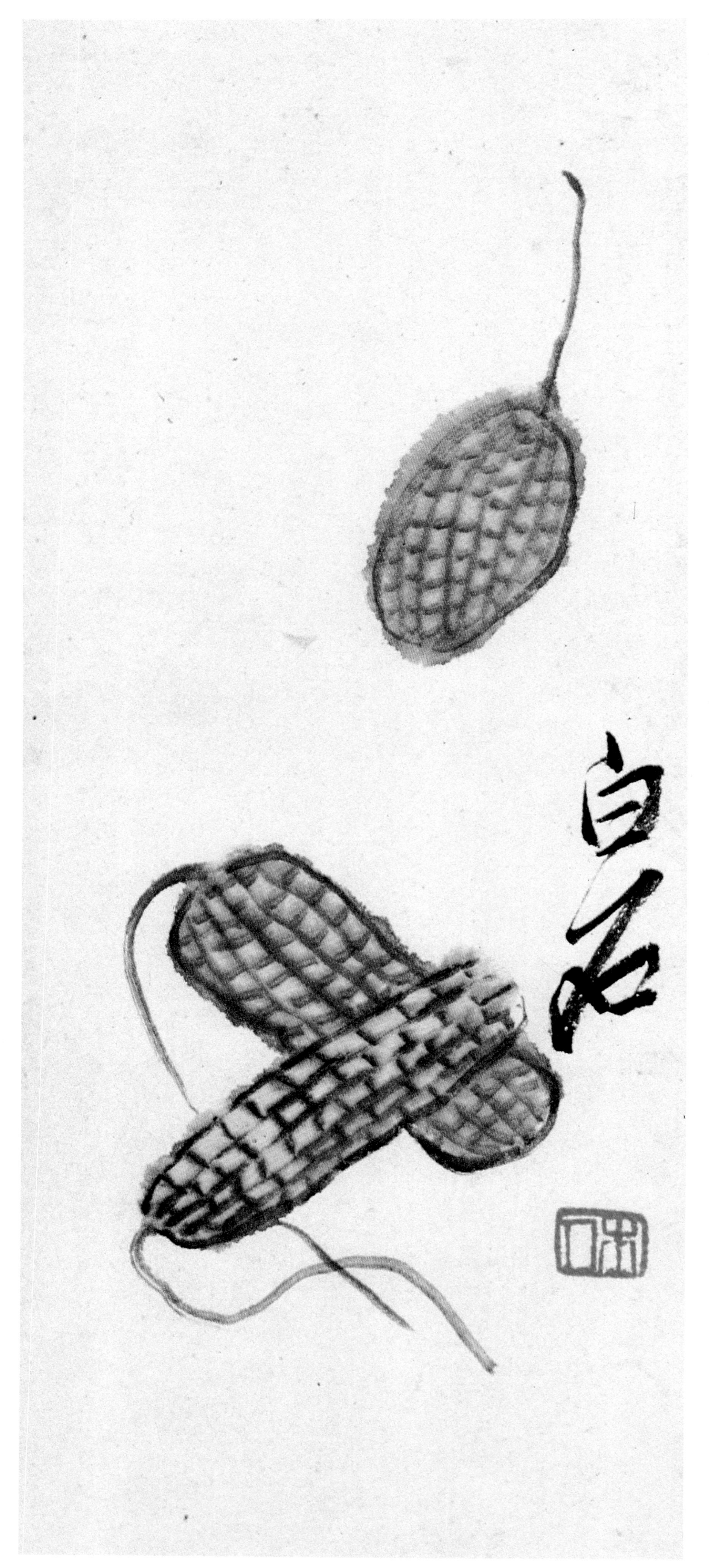

二四八　花生（蔬果册之五）　一九三八年　縱二〇·五厘米　横八·五厘米

二四九　豆莢（蔬果册之六）　一九三八年　縱二〇·五厘米　橫八·五厘米

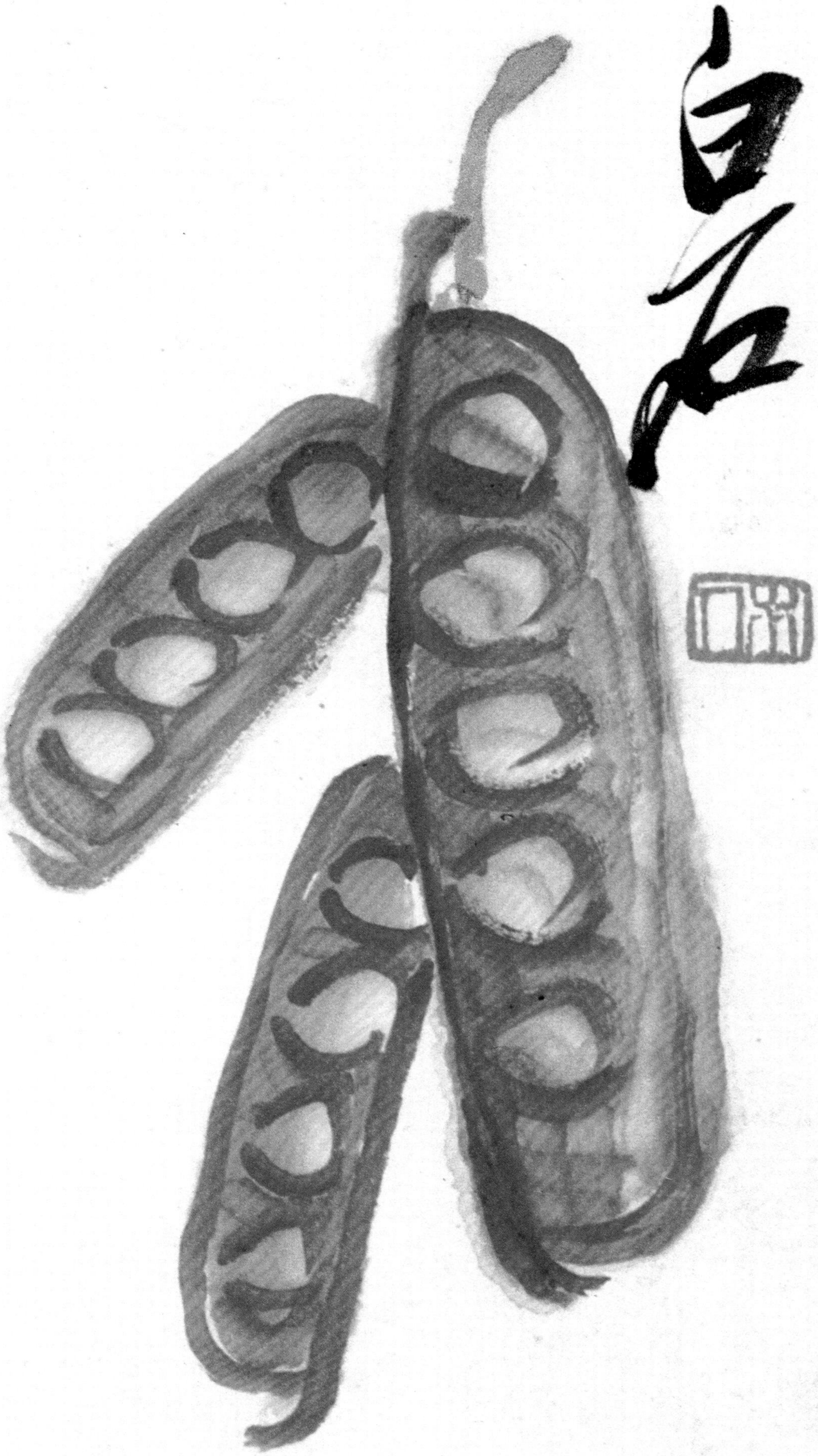

白石

二五〇　石榴草蟲　一九三八年　縱六九厘米　横三三厘米

二五一　墨蘭（扇面）一九三八年　縱一九厘米　橫五三厘米

二五二　葡萄　一九三八年　縱一二三·五厘米　橫四〇厘米

二五三　藤蘿蜜蜂　一九三八年　縱一二〇厘米　橫四〇厘米

二五四　藤蘿（扇面）一九三八年　縱一八厘米　橫五二厘米

二五五　蓮蓬蜻蜓　一九三八年　縱四二厘米　橫三〇厘米

二五六　葫蘆蚱蜢　一九三八年　縱四四・五厘米　橫三〇厘米

二五七　紅果松鼠　一九三八年　縱四二厘米　橫三〇厘米

二五八　七子圖　一九三八年　縱六六·七厘米　橫三四·三厘米

二五九　笋（扇面）一九三九年　縱一四厘米　横四四厘米

二六〇　群蝦圖　一九三九年　縱一一五厘米　橫三五厘米

二六一　黄鸝　一九三九年　縱六八厘米　横三四·五厘米

二六二　鴛鴦并蒂蓮　一九三九年　縱一〇七·五厘米　橫三四厘米

二六三　秋趣圖　一九三九年　縱一〇四厘米　橫三四・三厘米

二六四 荷花

一九三九年 縱一五一・五厘米 横四二厘米

二六五　絲瓜　(扇面)　一九三九年　縱一九厘米　橫五五厘米

二六六　雛鷄出籠

一九三九年　縱一〇四厘米　横三四厘米

二六七　葫蘆書畫扇　（扇面）　一九三九年　縱一八厘米　橫五〇厘米

二六八　公鷄蟋蟀　約三十年代　縱四〇厘米　橫七〇厘米

二六九　石榴（扇面）一九三九年　縱一七·六厘米　橫四四厘米

二七〇　事事遇頭　一九三九年　縱六八厘米　橫三五厘米

二七一　公鷄和雛鷄　一九三九年　縱一〇四厘米　橫三四厘米

二七二 秋聲圖 一九三九年 縱一〇四厘米 橫三四・三厘米

二七三　秋瓜　一九三九年　縱一六八厘米　橫四三·五厘米

二七四　貝葉草蟲　一九三九年　縱八〇厘米　橫五二·五厘米

二七五　百壽　約三十年代晚期　縱九八厘米　橫三三厘米

二七六　老農夫．約三十年代晚期　縱六八厘米　橫三四·六厘米

二七七　鐘馗　約三十年代晚期　縱一一三·五厘米　横三四厘米

二七八　山水　一九三九年　縱四八厘米　橫八二厘米

二七九　達摩渡海圖　約三十年代晚期　縱九三厘米　橫三九厘米

二八〇　岱廟圖　約三十年代晚期　縱四二厘米　橫三六厘米

二八一　松坪竹馬圖　約三十年代晚期　縱一四〇厘米　橫四八厘米

二八二　梅花喜鵲　約三十年代晚期　縱一〇一厘米　横三四·五厘米

二八三　紅梅墨蝶　約三十年代晚期　縱一二〇厘米　横三〇厘米

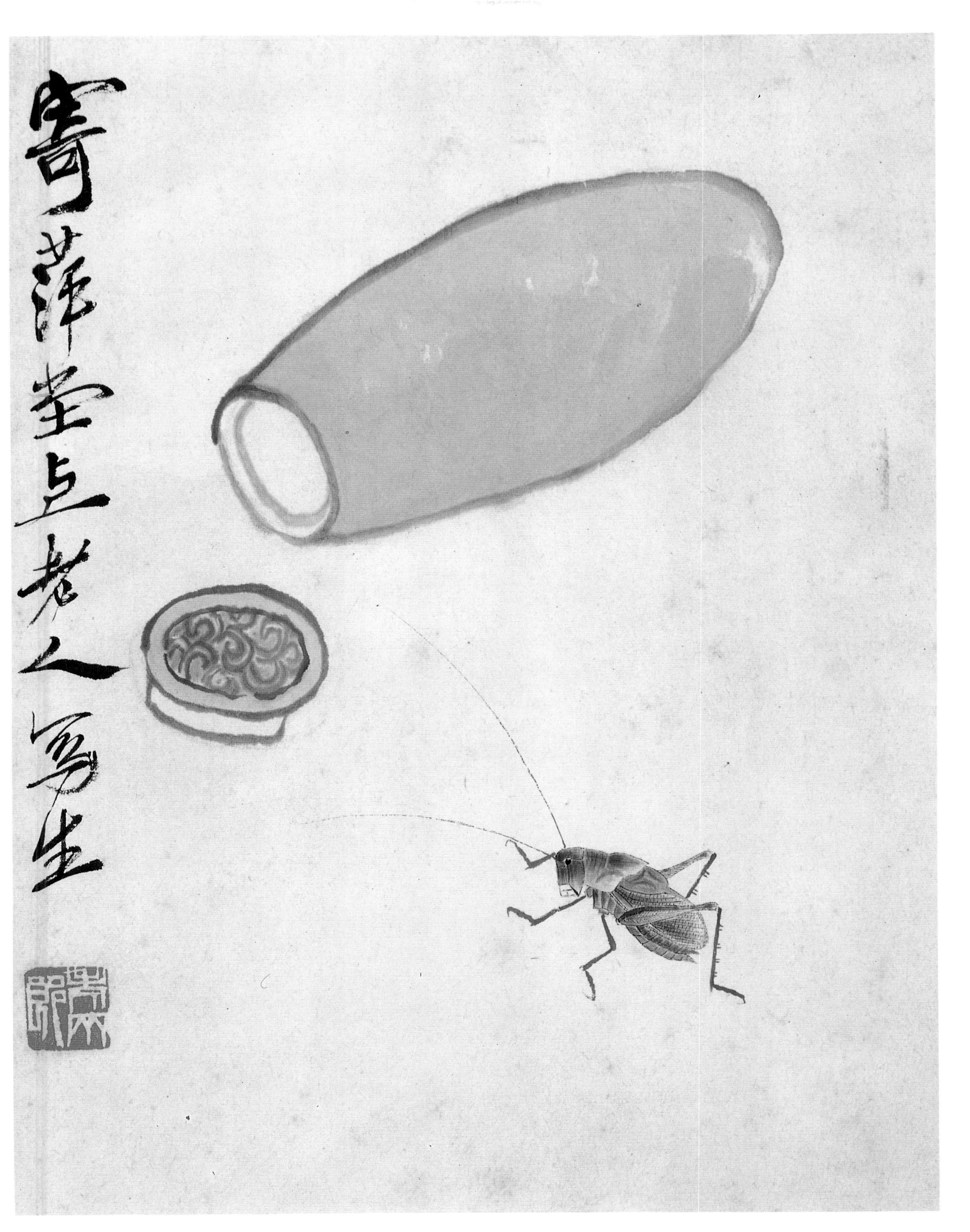

二八四　葫蘆蟈蟈（花卉草蟲册之一）　約三十年代晚期　縱二六·五厘米　横二〇·三厘米

二八五　稻穗螳螂（花卉草蟲册之二）　約三十年代晚期　縱二六·五厘米　橫二〇·三厘米

二八六　老少年蝴蝶（花卉草蟲册之三）　約三十年代晚期　縱二六·五厘米　橫二〇·三厘米

二八七　水草游蝦（花卉草蟲册之四）　約三十年代晚期　縱二六·五厘米　横二〇·三厘米

二八八　穀穗螞蚱（花卉草蟲册之五）約三十年代晚期　縱二六·五厘米　横二〇·三厘米

二八九　絲瓜螞蚱　（花卉草蟲冊之六）　約三十年代晚期　縱二六·五厘米　橫二〇·三厘米

二九〇　紅草飛蛾（花卉草蟲册之七）　約三十年代晚期　縱二六·五厘米　橫二〇·三厘米

二九一　草花蜻蜓（花卉草蟲册之八）　約三十年代晚期　縱二六·五厘米　横二〇·三厘米

二九二　紅蓼螻蛄（花卉草蟲册之九）約三十年代晚期　縱二六·五厘米　橫二〇·三厘米

二九三　緑柳鳴蟬　（花卉草蟲册之十）　約三十年代晚期　縱二六·五厘米　橫二〇·三厘米

二九四　鳳仙紅蠅（花卉草蟲册之十一）　約三十年代晚期　縱二六·五厘米　橫二〇·三厘米

二九五　扁豆螞蚱　（花卉草蟲册之十二）　約三十年代晚期　縱二六·五厘米　横二〇·三厘米

二一九六　富貴耄耋　約三十年代晚期　縱六四厘米　橫三三厘米

二九七　秋色秋聲　約三十年代晚期　縱六三厘米　橫一一四·五厘米

二九八　荷花蜻蜓　約三十年代晚期　縱一三三厘米　橫三五厘米

二九九　燈鼠瓜果圖　約三十年代晚期　縱六九厘米　橫三四・一厘米

三〇〇 靈猴獻果圖 約三十年代晚期 縱一三四・三厘米 橫三三・二厘米

三〇一　紅梅八哥　約三十年代晚期　縱一〇二厘米　橫三四厘米

三〇二　豆莢草蟲　約三十年代晚期　縱一三四厘米　横三三厘米

僧山老人齊白石

三〇三　菊花

約三十年代晚期　縱一七五・五厘米　橫五八・五厘米

三〇四　雛鷄　約三十年代晚期　縱七二厘米　横三四厘米

三〇五 蘆塘鳴蛙圖 約三十年代晚期 縱一〇一·六厘米 橫三四·六厘米

三〇六　柿子　約三十年代晚期　縱七〇厘米　橫三三·二厘米

三〇七 松樹八哥 約三十年代晚期 縱一三六厘米 橫二三厘米

著録・注釋

繪畫

30年代初期—30年代晚期

1. 秋荷

立軸
紙本水墨設色
137×47cm
約 30 年代初期

款題：
白石老人。

印章：
木人(朱文)

收藏：
北京畫院

著録：
《齊白石繪畫精品選》第 54 頁，董玉龍主編，人民美術出版社，1991 年，北京。

2. 芙蓉小魚

立軸
紙本水墨設色
133×33cm
約 30 年代初期

款題：
池上有芙蓉。
倒影來水中。
水中有雙魚。
浪碎芙蓉紅。
三百石印富翁并題。

印章：
木人(朱文)

收藏：
北京畫院

著録：
《齊白石作品集・第一集・繪畫》第 48 圖，人民美術出版社，1963 年，北京。

3. 葫蘆

立軸
紙本水墨設色
134×34cm
約 30 年代初期

款題：
客謂余曰。君所畫皆垂藤。未免雷同。余曰。藤不垂絶無姿態。垂雖略同。變化無窮也。客以為是。白石山翁并記。

印章：
阿芝(朱文)
老白(白文)

收藏：
北京畫院

著録：
《齊白石作品集・第一集・繪畫》第 89 圖，人民美術出版社，1963 年，北京。

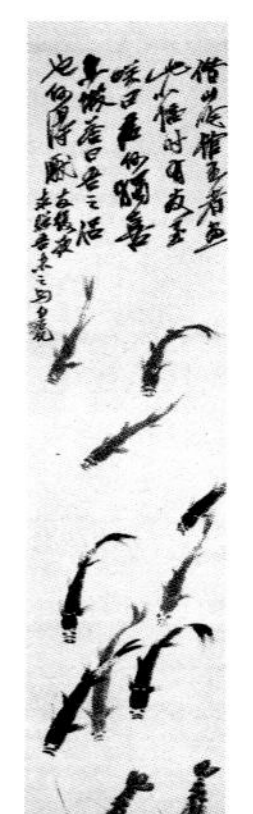

4. 魚蝦

立軸
紙本水墨
93.5×21.4cm
約 30 年代初期

款題：
借山吟館主者畫此小幅時有友至。咲(笑)曰。君何獨喜魚蝦。答曰。吾之侶也。何得厭。友復欲求贈。吾未之与(與)。白石記。

印章：
老白(白文)

收藏：
天津人民美術出版社

5. 荔枝

立軸
紙本水墨設色
135×34cm
約 30 年代初期

款題：
白石。
己丑秋九月。八十九歲白石老人重見。

印章：
老木(朱文)
白石翁(朱文)
收藏印：□

收藏：
霍宗傑

著録：
《齊白石畫海外藏珍》第 34 圖，王大山主編，榮寶齋（香港）有限公司，1994 年，香港。

6. 白菜

立軸

紙本水墨
122.5×33.7cm
約 30 年代初期

款題：
畫蔬香一根。余畫二根。因此昏(紙)佳也。齊璜并記。

印章：
木居士(白文)

收藏：
北京故宮博物院

7. 清白傳家

立軸
紙本水墨
137.5×25.8cm
約 30 年代初期

款題：
清白傳家(篆)。
素貞女弟子清玩其味。齊璜。

印章：
白石翁(白文)

收藏：
中央工藝美術學院

8. 荔枝

立軸
紙本水墨設色
100.1×33.2cm
約 30 年代初期

款題：
齊璜。白石山翁畫于舊京。

印章：
老白(白文)

收藏：
中國美術館

9. 紅柿

立軸
紙本水墨設色
92.2×46cm
約 30 年代初期

款題：
題畫之字多。文氣亦通順。其畫更佳。或曰。畫佳不題多字。其畫不能變醜（丑）。白石并記。

印章：

阿芝(朱文)　老白(白文)

收藏：

中國美術館

著録：

《齊白石作品集》第61圖，董玉龍主編，天津人民美術出版社，1990年，天津。

10. 烏桕八哥圖

立軸

紙本水墨設色

100.8×34cm

約30年代初期

款題：

白石老人作。

印章：

齊大(朱文)

收藏：

中國美術館

著録：

《齊白石畫集》第60圖，嚴欣强、金岩編，外文出版社，1990年，北京。

11. 蟹

扇面

紙本水墨

18.5×52cm

約30年代初期

款題：

彝九弟。白石。

印章：

齊大(白文)

收藏印：錢君匋(朱文)

收藏：

西安美術學院

12. 紫藤

横幅

紙本水墨設色

34×46cm

約30年代初期

款題：

白石。

此册葉(頁)大花鸁。不宜摹作。只可為法家賞玩也。璧城女弟須知之。璜。

印章：

齊大(朱文)　木人(朱文)

收藏：

湖南省博物館

著録：

《齊白石繪畫選集》第15圖，湖南省博物館編，湖南美術出版社，1981年，長沙。

13. 玉蘭花

立軸

紙本水墨設色

133.5×33.4cm

約30年代初期

款題：

(嫩)如新竹管初齊。

粉膩紅輕樣可携。

誰与(與)詩人偎檻看。

好干箋墨共分題。

借吴融詩題畫。白石山翁。

印章：

木人(朱文)

收藏：

中國美術館

著録：

《齊白石繪畫精品選》第47頁，董玉龍主編，人民美術出版社，1991年，北京。

14. 藤蘿蜜蜂

立軸

紙本水墨設色

69.1×33.3cm

約30年代初期

款題：

白石山翁。

印章：

老白(白文)

收藏：

中國美術館

著録：

《齊白石繪畫精品選》第73頁，董玉龍主編，人民美術出版社，1991年，北京。

15. 群蛙蝌蚪

立軸

紙本水墨

68.5×33cm

約30年代初期

款題：

蛙多在南方。青草池塘。處處有聲。如鼓吹也。白石山翁畫并記。

今璧仁弟一笑。兄璜贈别。

印章：

老木(朱文)　湘上老農(白文)

收藏：

中央工藝美術學院

16. 枯藤群雀圖

立軸

紙本水墨設色

101×41cm

約30年代初期

款題：

葉落見藤亂。

天寒入鳥音。

老夫詩欲鳴。

風急吹衣襟。

枯藤寒雀從未有。

既作新畫又題新詩。借山老人非嫻(懶)輩也。觀畫者老何郎也。

印章：

甑屋(朱文)　齊大(朱文)

收藏：

霍宗傑

著録：

《齊白石畫海外藏珍》第28圖，王大山主編，榮寶齋（香港）有限公司，1994年，香港。

17. 松鷹圖

立軸

紙本水墨

171.5×47cm

約30年代初期

款題：

東生先生雅正。齊璜。

此幅之帋（紙）甚佳。一日秋風不寒。晨起把筆。欣然成之。東生先生見之。能識其未醜。欲携去。余即歡然讓之。白石山翁又記。

印章：

老木(朱文)　白石翁(白文)

收藏：

北京市文物公司

著錄：

《齊白石繪畫精萃》第 43 圖，秦公、少楷主編，吉林美術出版社，1994 年，長春。

18. 紅蓼竹鷄

立軸

紙本水墨設色

120.5×44.5cm

約 30 年代初期

款題：

湘潭齊大。

印章：

齊大(朱文)

白石草衣(白文)

收藏：

北京市文物公司

著錄：

《齊白石繪畫精萃》第 42 圖，秦公、少楷主編，吉林美術出版社，1994 年，長春。

19. 雙栖圖

立軸

紙本水墨設色

77×33cm

約 30 年代初期

款題：

齊璜。借山吟館主者。

印章：

白石山翁(白文)

收藏：

霍宗傑

著錄：

《齊白石畫海外藏珍》第 30 圖，王大山主編，榮寶齋（香港）有限公司，1994 年，香港。

20. 荷花蜻蜓圖

立軸

紙本水墨設色

115.2×33.2cm

約 30 年代初期

款題：

魚兒東西戲。

花葉非凡胎。

何物增顏色。

蜻蜓飛紅來。

白石并題句。

印章：

齊大(朱文)

收藏：

中國美術館

21. 蓮蓬葵扇

立軸

紙本水墨

78.5×44cm

約 30 年代初期

款題：

閨房誰掃嬌妖態。

識字自饒名士風。

記得板塘西畔見。

蒲葵席地剥蓮蓬。

白石并題新句。

壬辰。白石九十二歲重見。感記之。

印章：

齊大(朱文)　木人(朱文)

收藏：

私人

著錄：

《齊白石繪畫精品集》第 33 頁，人民美術出版社，1991 年，北京。

22. 長年圖

立軸

紙本水墨

132.5×32.4cm

約 30 年代初期

款題：

作畫欲求工細生動故難。不謂聊聊幾筆形神畢見亦不易也。余日來畫此魚數昏(紙)。僅能刪除做作。大寫之

難可見矣。白石并記。

印章：

老木(朱文)

收藏：

中國美術館

著錄：

《齊白石作品集》第 36 圖，董玉龍主編，天津人民美術出版社，1990 年，天津。

23. 水草小魚

立軸

紙本水墨

66.3×32.8cm

約 30 年代初期

款題：

白石山翁。

印章：

木人(朱文)

收藏：

中國美術館

24. 芋苗雛鷄

立軸

紙本水墨

135×33cm

約 30 年代初期

款題：

麗浦之芋苗高嘗八九尺。此近年地土不肥之苗也。白石并記。

印章：

阿芝(朱文)

木居士(白文)

收藏印：□

收藏：

中央美術學院

25. 長壽

立軸

紙本水墨

91×44cm

約 30 年代初期

款題：

長壽(篆)。

齊璜畫并篆。

他人題記：

為我一揮手。如聽萬壑松。炎日鑠金之下，何

福遇此峨眉老衲耶。壽田。

印章:

木居士(白文)　白石翁(白文)

收藏印:夏印壽田(朱文)　□

收藏:

私人

著録:

《齊白石繪畫精品集》第47頁,人民美術出版社,1991年,北京。

26. 育雛圖

立軸

紙本水墨設色

81×40cm

約30年代初期

款題:

泥鑪冬暖。燒燭揮毫。此借山老人樂事也。

印章:

白石翁(朱文)

老木(朱文)

收藏:

北京市文物公司

著録:

《齊白石繪畫精萃》第83圖,秦公、少楷主編,吉林美術出版社,1994年,長春。

27. 翠鳥游蝦

立軸

紙本水墨設色

133×33.5cm

約30年代初期

款題:

齊璜。借山老人。

印章:

白石翁(白文)

齊璜之印(白文)

收藏:

北京畫院

著録:

《齊白石繪畫精品選》第26頁,董玉龍主編,人民美術出版社,1991年,北京。

《齊白石畫集》第41圖,嚴欣强、金岩編,外文出版社,1990年,北京。

28. 山峽歸帆圖

立軸

紙本水墨

137×39cm

約30年代初期

款題:

山峽歸颿(帆)。齊璜白石。

印章:

老白(白文)

三百石印富翁(朱文)

收藏:

中央工藝美術學院

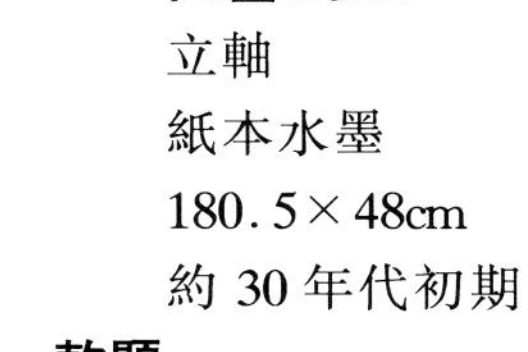

29. 松窗閑話

立軸

紙本水墨

180.5×48cm

約30年代初期

款題:

松窗閒(閑)話(篆)。

欲尋鄰叟下山腰。

因避時賢居最高。

人壽百年幾閒(閑)日。

松蔭窗户話王喬。

齊璜并題新句。

印章:

白石翁(白文)

收藏印:辛家曾藏(朱文)

收藏:

私人

著録:

《中國嘉德'94秋季拍賣・中國書畫》第188號,1994年,北京。

30. 蕉屋圖

立軸

紙本水墨設色

180.5×48cm

約30年代初期

款題:

芒鞋難忘安南道。

為愛芭蕉非學書。

山嶺猶疑識過客。

半春人在畫中居。

余曾游安南。由東興過鐵橋。道旁有蕉數萬株繞其屋。已收入借山圖矣。齊璜并題記。

印章:

木人(朱文)　白石翁(白文)

老夫也在皮毛類(白文)

收藏印:辛家曾藏(朱文)

著録:

《齊白石作品集・第一集・繪畫》第72圖,人民美術出版社,1963年,北京。

《中國嘉德'94秋季拍賣會・中國書畫》第166號,1994年,北京。

注釋:

齊白石1909年(己酉)遊廣西,曾由北海到東興,至越南芒街,此即跋中所言"由東興過鐵橋"之事。歸來畫《綠天過客圖》,并收入《借山圖》册(見《白石老人自傳》第58頁),他後來一再畫蕉屋、蕉樓,均與此次遊觀印象有關。《齊白石作品集・第三集・詩》第60頁有《綠天過客圖并序》:"余曾遊安南。由東興過鐵橋。道旁有蕉數百株繞其屋後。已收入借山圖矣。芒鞋難忘安南道。為愛芭蕉非學書。山嶺猶疑識過客。半春人在畫中居。"與此圖之詩、跋基本相同(唯"百株"易為"萬株"),那么,此圖應名為《綠天過客》,但這絕非1910年所畫并收入《借山圖》册的那幅,因其畫風、書風屬白石30年代初之作品,而《綠天過客圖并序》一詩,原收在《白石詩草二集》,即主要是1917至1933年之間所作之詩,這是又一證據。但此幅是否便是詩集所説的那件《綠天過客圖》呢?存疑。同一母題反復畫,是白石老人的習慣,如曾見《綠天野屋》(《榮寶齋畫譜》第73册,北京榮寶齋,1993年)、《蕉林書屋圖》(《齊白石作品選集》,人民美術出版社,1959年)等。

31. 溪橋歸豕圖

立軸

紙本水墨設色

111×33.7cm

約30年代初期

款題:

白石齊璜。

印章:

白石(朱文)

收藏:

中國美術館

著録:

《榮寶齋畫譜》第73册第24頁,北京榮寶齋,1993年,北京。

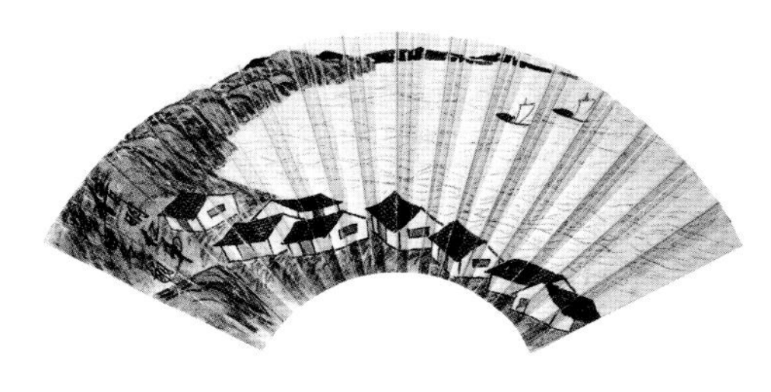

32. 江邊村舍

扇面

紙本水墨設色

18.5×52cm

約30年代初期

款題：

倩明仁弟鑒。白石山翁。

印章：

木居士(白文)

收藏：

私人

著録：

《齊白石繪畫精品集》第 29 頁，人民美術出版社，1991 年，北京。

33. 秋水鸕鷀

立軸

紙本水墨

117×24cm

約 30 年代初期

款題：

堤上垂楊緑對門。

朝朝相見有煙(烟)痕。

寄言橋上還家者。

羡汝斜陽江岸村。

余畫秋水鸕鷀直幅。求者皆欲依様為之。此第五幅也。白石山翁齊璜并記。

印章：

老白(白文)

收藏：

北京畫院

著録：

《齊白石畫集》第 19 圖，嚴欣強、金岩編，外文出版社，1990年，北京。

34. 竹林白屋

鏡片

紙本水墨設色

32×33cm

約 30 年代初期

款題：

白石。

印章：

木人(朱文)

收藏：

中央美術學院附屬中學

35. 孤舟

鏡心

紙本水墨設色

38×23.4cm

約 30 年代初期

款題：

三百石印富翁白石。

印章：

齊璜(白文)

收藏：

安性存

36. 日出

立軸

紙本水墨設色

69×26cm

約 30 年代初期

款題：

寄萍堂上老人畫于故都城西鐵屋。

印章：

白石翁(朱文)

白石(朱文)

收藏：

邵宇原藏，現藏炎黄藝術館藝術中心。

37. 青山柳帆

立軸

紙本水墨設色

165×33cm

約 30 年代初期

款題：

竗(妙)如女弟屬。白石。

印章：

齊璜(白文)

白石翁(白文)

夢想芙蓉路八千(朱文)

收藏：

魏今非原藏，現藏炎黄藝術館藝術中心。

38. 柏屋圖

鏡片

紙本水墨設色

38×29cm

約 30 年代初期

印章：

老白(白文)

收藏印：湖南省博物館藏品章(朱文)

湖南省文物管理委員會收藏(朱文)

收藏：

湖南省博物館

著録：

《齊白石繪畫選集》第 13 圖，湖南省博物館編，湖南美術出版社，1981 年，長沙。

39. 柏屋圖

立軸

紙本水墨

232×35cm

約 30 年代初期

款題：

仲森先生。白石。

印章：

木居士(白文) 齊大(白文)

收藏：

私人

40. 溪柳人家

横幅

紙本水墨設色

26×142cm

約 30 年代初期

款題：

溪柳人家(篆)。

璧城女弟之屬。璜。

印章：

老木(朱文) 白石翁(白文)

收藏：

炎黄藝術館藝術中心

41. 旭日東升

立軸
紙本水墨設色
175×68cm
約 30 年代初期

款題：
華民仁先生鑒。
齊璜。

印章：
木居士（白文）
白石翁(白文)

收藏：
天津藝術博物館

42. 白石草堂圖

立軸
紙本水墨設色
99.3×33cm
約 30 年代初期

款題：
白石草堂圖(篆)。
此圖百劫之餘夢中所見之景物也。因畫藏之。白石山翁并記。
林密山深好隱居。
牛羊常過草都無。
昨宵与(與)客還家去。
猶指吾廬好讀書。
此詩真夢中語也。顯庭仁兄正。白石山翁又題。

印章：
阿芝(朱文)　老白(白文)
木居士(白文)　□

收藏：
北京故宮博物院

43. 松居圖

鏡片
紙本水墨設色
26×14cm
約 30 年代初期

款題：
白石老人作。

印章：
木人(朱文)

收藏：
齊良遲

44. 仙人洞圖

立軸
紙本水墨設色
144.8×33cm
約 30 年代初期

款題：
老著安閒(閑)想。
泥堂洞裏天。
水源人不到。
鷄犬亦神仙。
白石山翁畫。把筆有感。題此絕句。
客見余畫此幅。言曰。余看近代頗有名者。畫山如庖人抹竈。渾然無筆墨痕。自命大好。人亦稱之。君獨不為。何也。余曰。不願愚人欺世者。皆不能為。何獨余也。客不再言。余因記之。白石。

印章：
阿芝(朱文)　老白(白文)
木人(朱文)

收藏：
王方宇

著録：
《看齊白石畫》第 16 頁，王方宇、許芥昱合著，藝術圖書公司，1979 年，臺北。

45. 牽牛花

立軸
紙本水墨設色
136×34cm
1934 年

款題：
叔謙宗先生清屬。
甲戌。璜。

印章：
老木(朱文)

收藏：
中央美術學院

46. 山水

立軸
紙本水墨設色
151.2×35.5cm
1934 年

款題：
伯言先生清屬。甲戌秋八月。清凉北地。正好揮毫。欣然成之。白石齊璜。時居舊京第十八年。

印章：
白石翁(白文)
人長壽(朱文)　□

收藏：
北京市文物公司

著録：
《齊白石繪畫精萃》第 25 圖，秦公、少楷主编，吉林美術出版社，1994 年，長春。

47. 绿柳白帆圖

横幅
紙本水墨設色
27.5×143cm
約 30 年代初期

款題：
绿柳白帆圖(篆)。
玅(妙)如女弟屬正。璜也。

印章：
白石翁(白文)

收藏：
南漢臣原藏，現藏炎黄藝術館藝術中心。

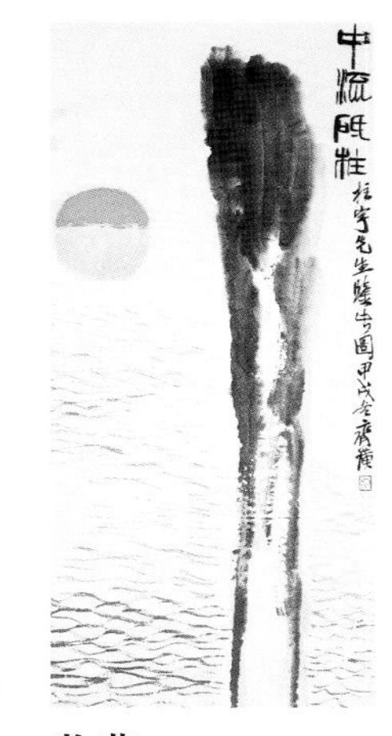

48. 中流砥柱

立軸
紙本水墨設色
75×34cm
1934 年

款題：
中流砥柱(篆)。
柱宇先生鑒此圖。甲戌冬。齊璜。

印章：
老齊(朱文)

收藏：
北京市文物公司

著録：
《齊白石繪畫精萃》第 61 圖，秦公、少楷主编，吉林美術出版社，1994 年，長春。
《翰海’95 秋季拍賣會・中國繪畫(近現代)》第 51 號，1995 年，北京。

49. 松溪

立軸
紙本水墨設色

101×34cm
約 1934 年
款題:
白石山翁製。
印章:
木人(朱文)
著録:
《齊白石作品選集》第 89 圖,黎錦熙、齊良已編,人民美術出版社,1959 年,北京。
《中國嘉德’95 春季拍賣會・中國書畫》第 326 號,1995 年,北京。
注釋:
黎錦熙、齊良已編《齊白石作品選集》目録中,此圖注明為 1934 年(72 歲)所作。從此説。

50. 山水鸕鷀
立軸
紙本水墨設色
104.5×44cm
1934 年
款題:
江上青山樹萬株。
樹山深處老夫居。
年來水淺鸕鷀衆。
盤裏加餐那(哪)有魚。
白石山翁并題。
少懷仁弟為小兒女補讀病假之書。甚勤快。儉(檢)此贈之。甲戌冬璜。
印章:
齊大(朱文) 木居士(白文)
收藏:
北京市文物公司
著録:
《齊白石繪畫精萃》第 62 圖,秦公、少楷主编,吉林美術出版社,1994,長春。

51. 鐘馗醉酒圖
立軸
紙本水墨設色
92.7×41.5cm
1934 年
款題:
今璧弟從余游三越月矣。甲戌秋八月白石畫。
今璧衡山人也。客京華未一年即南返。此幅猶在此地。何故。忽忽十又一年矣。紙墨猶新。可感。甲申冬。白石記。
印章:
木居士(白文) 齊大(朱文)
收藏:
遼寧省博物館

52. 醉飲圖(人物條屏之一)
立軸
紙本水墨設色
109×43cm
1934 年
款題:
醉飲圖(篆)。
奉民先生雅正。齊璜。
印章:
苹翁(朱文)
齊大(朱文)
收藏:
私人

53. 偷桃圖(人物條屏之二)
立軸
紙本水墨設色
109×43cm
1934 年
款題:
偷桃圖(篆)。
杏子隖老民。
印章:
悔烏堂(朱文)
齊大(朱文)
人長壽(朱文)
收藏:
私人

54. 蕉林山居
横幅
紙本水墨
62×118cm
1934 年
款題:
璧城女弟雅屬。甲戌秋月齊璜。
印章:
白石翁(白文) 老木(朱文)
收藏:
炎黄藝術館藝術中心

55. 百壽(人物條屏之三)
立軸
紙本水墨設色
109×43cm
1934 年
款題:
百壽(篆)。
借山吟館主者。
印章:
齊大(朱文)
平翁(朱文)
收藏:
私人

56. 采菊圖(人物條屏之四)
立軸
紙本水墨設色
109×43cm
1934 年
款題:
采菊圖(篆)。
甲戌冬。齊璜。
印章:
齊璜(白文)
齊大(朱文)
收藏:
私人

57. 水族圖
立軸
紙本水墨
103×34cm
1934 年
款題:
奉三先生雅正。癸酉冬十又二月。白石翁齊璜。
印章:
老木(朱文)
收藏:
北京市文物公司
著録:
《齊白石繪畫精萃》第 54 圖,秦公、少楷主编,吉林美術出版社,1994 年,長春。

58. 藤蘿蜜蜂
扇面

紙本水墨設色
17.8×50cm
1934 年
款題：
梅君夫人清拂。甲戌二月齊璜。時居燕。
印章：
木人(朱文)
收藏印：錢君匋(朱文)
收藏：
西安美術學院

59. 藤蘿
立軸
紙本水墨設色
194×67cm
1934 年
款題：
甲戌第三日製于故都。齊璜。
印章：
齊大(朱文)
甑屋(朱文)
夢想芙蓉路八千(朱文)
收藏：
胡橐原藏，現藏炎黄藝術館藝術中心。

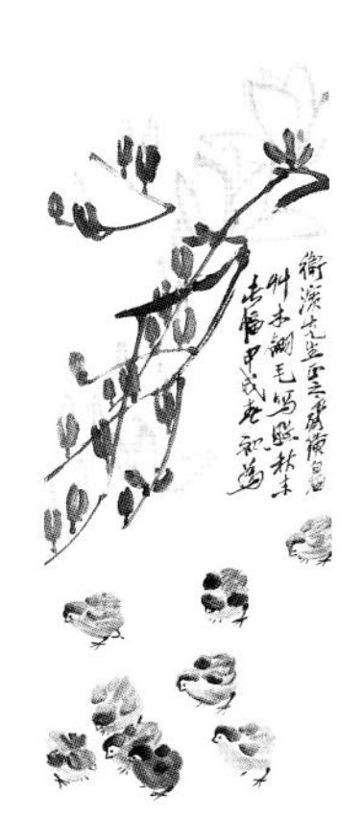

60. 玉蘭小鷄
立軸
紙本水墨設色
99×33.5cm
1934 年
款題：
此幅甲戌春初。為草木翎毛寫照。秋末。衛濱先生正之。齊璜白石。
印章：
老木(朱文)
收藏：
陝西美術家協會

61. 梅花白菜
立軸
紙本水墨設色

137×33.7cm
1934 年
款題：
益廷先生清屬。甲戌春暖。自起開窗。磨墨研朱畫此。齊璜。
印章：
老木(朱文)
收藏：
四川省博物館

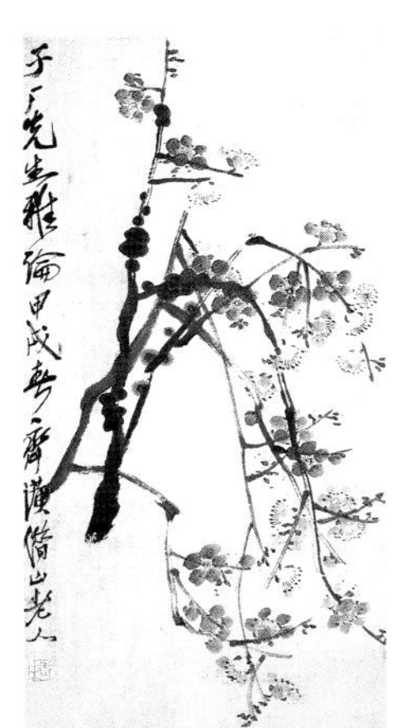

62. 梅花
立軸
紙本水墨設色
61.8×30cm
1934 年
款題：
于厂(庵)先生雅諭。甲戌春。齊璜借山老人。
印章：
老木(朱文)
收藏：
四川美術學院

63. 螃蟹
立軸
紙本水墨
134.8×32.9cm
1934 年
款題：
甲戌五月中製于舊京。白石齊璜。
印章：
老木(朱文)　星塘白屋不出公卿(朱文)
收藏印：□
收藏：
首都博物館

64. 雁來紅
扇面
紙本水墨設色
19×56cm
1934 年
款題：
小逸仁弟之屬。甲戌六月。璜。
印章：
老木(朱文)
收藏印：□
收藏：
湖南省博物館

65. 育雛圖
立軸
紙本水墨設色
138×41.5cm
1934 年
款題：
與可鄉先生之雅。甲戌夏。齊璜作于燕京。
印章：
白石翁(白文)
收藏：
北京市文物公司
著録：
《齊白石繪畫精萃》第 60 圖，秦公、少楷主編，吉林美術出版社，1994 年，長春。

66. 八哥鳥籠
立軸
紙本水墨設色
57×33.5cm
1934 年
款題：
紫來吾孫萬里來稟求畫。北地伏暑清凉。三日一雨。時甲戌夏六月望後。白石山翁并記。
印章：
老木(朱文)
收藏：
齊佛來

67. 玉蘭八哥
立軸
紙本水墨設色
78×33cm

1934 年

款題：

級宸先生清屬。甲戌八月畫于舊京。齊璜。

印章：

齊大(朱文)

收藏印：□□

收藏：

霍宗傑

著録：

《齊白石畫海外藏珍》第 31 圖，榮寶齋（香港）有限公司，1994 年，香港。

68. 雁來紅蜻蜓

立軸

紙本水墨設色

98×33cm

1934 年

款題：

伯猷舊友先生論定。甲戌十月之初。畫于故都。白石山翁齊璜。

印章：

老木(朱文)

收藏印：湖南省博物館藏品章(朱文)

湖南省文物管理委員會收藏(朱文)

收藏：

湖南省博物館

著録：

《齊白石繪畫選集》第 20 圖，湖南省博物館編，湖南美術出版社，1981 年，長沙。

69. 雙魚寄遠(蟲魚册之一)

册頁

紙本水墨設色

27×16cm

1934 年

款題：

倩雙魚而寄遠。

白石。

印章：

木人(朱文)

收藏：

中央美術學院

70. 款款而來(蟲魚册之二)

册頁

紙本水墨設色

27×16cm

1934 年

款題：

欵(款)欵(款)而來。

白石。

印章：

阿芝(朱文)

收藏：

中央美術學院

71. 休負雷雨(蟲魚册之三)

册頁

紙本水墨設色

27×16cm

1934 年

款題：

休負雷雨。

白石。

印章：

齊大(朱文)

收藏：

中央美術學院

72. 桑蠶(蟲魚册之四)

册頁

紙本水墨設色

27×16cm

1934 年

款題：

蠶桑苦。女工難。得新棄(弃)舊後必寒。

甲戌冬。白石山翁。

印章：

老白(白文)

收藏：

中央美術學院

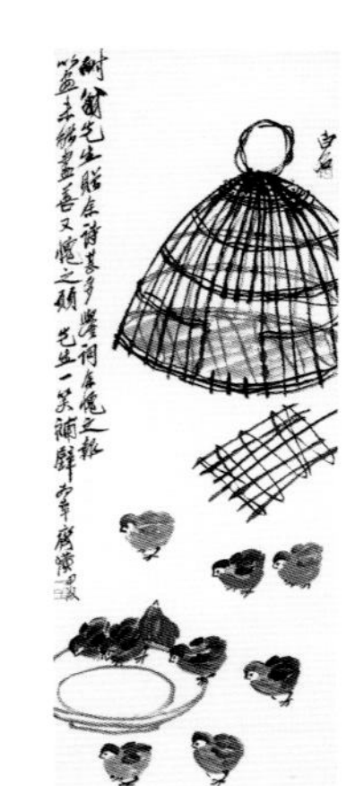

73. 小鷄出籠

立軸

紙本水墨

101.5×35cm

1934 年

款題：

白石。

耐翁先生贈余詩。甚多譽詞。余愧之。報以畫。未能盡善。又愧之。願先生一笑補壁為幸。齊璜。甲戌。

印章：

老木(朱文)　白石(朱文)

收藏：

私人

著録：

《齊白石繪畫精品集》第 46 頁，人民美術出版社，1991 年，北京。

74. 菊花蜻蜓

立軸

紙本水墨設色

141.7×40cm

1934 年

款題：

甲戌。齊璜。

印章：

老木(朱文)

收藏：

中國美術館

著錄：

《齊白石作品集》第39圖，董玉龍主編，天津人民美術出版社，1990年，天津。

75. 芋葉游蝦

立軸
紙本水墨設色
135×33.5cm
1934年

款題：

漢三先生正。齊璜白石山翁製于舊京寄萍堂。

印章：

白石翁(白文)

收藏：

齊佛來

76. 教子圖

立軸
紙本水墨
136.8×33.4cm
1935年

款題：

門人羅生祥止小時乃邱太夫人教讀。稍違教必令跪而責之。當時祥止能解。怪其嚴。今太夫人逝矣。祥止追憶往事。且言且泣。求余畫憶母圖以紀母恩。余亦有感焉。圖成并題二絶句。

願子成龍自古今。
此心不獨老夫人。
世間養育人人有。
難得從嚴母外恩。
當年却(却)怪非慈母。
今日方知泣憶親。
我亦爺娘千載逝。
因君圖畫更傷心。

甲戌冬十一月二十二日。酒闌客去之醉腕也。時居故都西城之西太平橋外。白石山翁齊璜。

印章：

木人(朱文)　阿芝(朱文)
老齊(朱文)　悔烏堂(朱文)
風前月下清吟(朱文)

收藏：

中國美術館

著錄：

《齊白石繪畫精品選》第201頁，董玉龍主編，人民美術出版社，1991年，北京。

77. 松鷹圖

立軸
紙本水墨
150×63cm
1935年

款題：

素練霜風起。
蒼鷹(畫)作殊。
攫身思狡兔。
側目似愁胡。
絛(縧)鏇光堪摘。
軒楹勢可呼。
何當擊凡鳥。
毛血灑平蕪。

前第七字鷹字下有畫字。白石齊璜畫。借杜句題。

乙亥春。舊京國立藝術專科學校開教授所畫展覽會。此松鷹圖亦在校展覽。校長嚴季聰先生見之。喜。余即將此幅捐入校内陳列室。永遠陳列。齊璜。

印章：

木居士(白文)　白石(朱文)
木人(朱文)

收藏：

中央美術學院

78. 雙鴨

册頁
紙本水墨設色
28×18cm
1935年

款題：

乙亥端節後。白石山翁。

印章：

齊大(朱文)

收藏：

北京榮寶齋

著錄：

《榮寶齋畫譜·齊白石繪魚蟲禽鳥部分》封面，北京榮寶齋，1993年，北京。

79. 松鼠葡萄

立軸
紙本水墨設色
125.3×30cm
1935年

款題：

乙亥秋。齊璜。

印章：

老木(朱文)

收藏：

中國美術館

著錄：

《齊白石作品集》第40圖，董玉龍主編，天津人民美術出版社，1990年，天津。

80. 紫藤蜜蜂

立軸
紙本水墨設色
112×43cm
1935年

款題：

草動青蛇驚影。
風行紫雪飛香。

乙亥初冬製于舊京。美然先生雅正。齊璜白石山翁居於此地十又九年矣。

印章：

老白(白文)

收藏：

霍宗傑

著錄：

《齊白石畫海外藏珍》第37圖，王大山主編，榮寶齋（香港）有限公司，1994年，香港。

81. 鼠子嚙書圖

立軸
紙本水墨設色
103.1×34.5cm
1935年

款題：

此鼠子嚙書圖。為家人依樣各畫一幅。自厭雷同。故記及之。乙亥。白

石山翁。

印章：

白石(朱文)

故鄉無此好天恩(朱文)

收藏：

中國美術館

著録：

《齊白石繪畫精品選》第 35 頁，董玉龍主編，人民美術出版社，1991 年，北京。

82. 柳魚圖

立軸

紙本水墨設色

137×34cm

1935 年

款題：

秀亭仁兄先生之雅。乙亥。三百石印富翁齊璜畫。

印章：

齊大(朱文)

歸夢看池魚(朱文)

收藏：

王大山原藏，現藏梁穗。

83. 長年圖

立軸

紙本水墨設色

93×32.7cm

1935 年

款題：

長年(篆)。

白石畫。

季莊先生屬。乙亥。齊璜。

印章：

木人(朱文)

阿芝(朱文)

收藏：

天津人民美術出版社

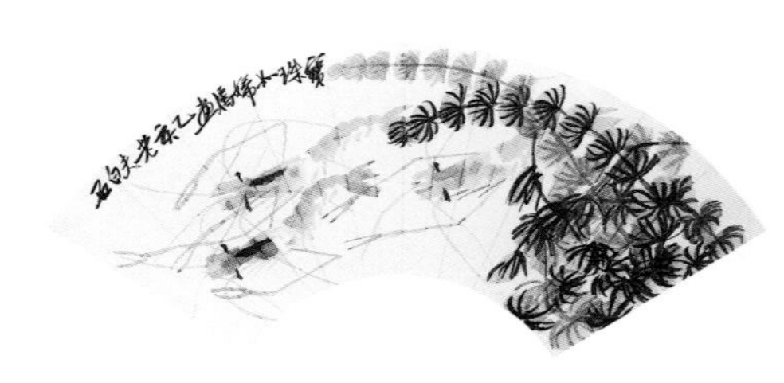

84. 水草游蝦

扇面

紙本水墨設色

18.5×55cm

1935 年

款題：

寶珠如婦屬畫。乙亥。老夫白石。

收藏：

齊良遲

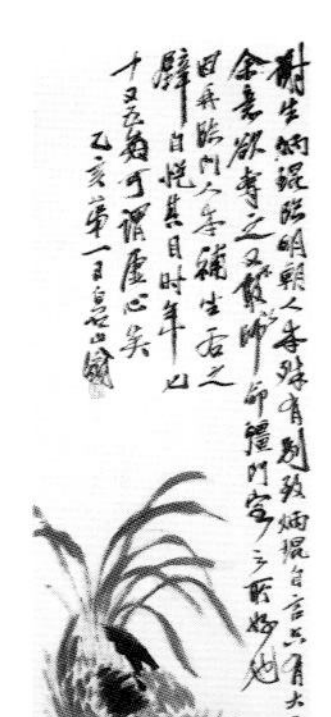

85. 鷄

立軸

紙本水墨

105.5×32cm

1935 年

款題：

謝生炳琨臨明朝人本。殊有别致。炳琨自言只有大意如是。余意欲奪之。又不敢以師命彊(强)門客之所好也。因再臨門人本補坐右之壁。自悦其目。時年七十又五。可謂虚心矣。乙亥第一日。白石山翁。

印章：

老白(白文)

收藏：

私人

著録：

《北京翰海藝術品拍賣公司首届拍賣會・中國畫・碑帖》，1994 年，北京。

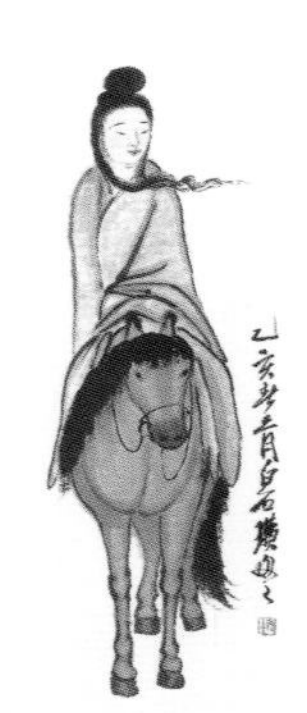

86. 仕女騎馬圖

立軸

紙本水墨設色

99×33cm

1935 年

款題：

乙亥春三月。白石璜。匆匆。

印章：

老木(朱文)

收藏印：□

收藏：

北京市文物公司

著録：

《齊白石繪畫精萃》第 64 圖，秦公、少楷主編，吉林美術出版社，1994 年，長春。

87. 壽酒神仙

立軸

紙本水墨設色

114.5×63cm

1935 年

款題：

壽酒神仙(篆)。

乙亥冬月。白石畫并篆。

印章：

老木(朱文)

收藏：

楊永德

著録：

《榮寶齋畫譜》第 74 册第 21 頁，北京榮寶齋，1993 年，北京。

《齊白石繪畫精品集》第 36 頁，人民美術出版社，1991 年，北京。

《中國嘉德'95 秋季拍賣會・楊永德藏齊白石書畫》第 306 號，1995 年，北京。

88. 捧桃圖

立軸

紙本水墨設色

111×47cm

1936 年

款題：

開花結實各三千年。

紫垣先生壽。丙子春初。齊璜。

印章：

白石(朱文)

人長壽(朱文)

收藏：

天津藝術博物館

89. 鐘馗搔背圖

立軸

紙本水墨設色

96.2×44.7cm

1936 年

款題：

者（這）裏也不是。那裏也不是。縱有麻姑爪。焉知著何處。各自有皮膚。那(哪)能入我腸肚。

丙子夏四月為治園軍長畫并題句。白石草衣齊璜。時客渝州。

印章：

白石(朱文)

收藏：

楊永德

著録：

《中國嘉德'95 秋季拍賣會・楊永德藏齊白石書畫》第 198 號，1995 年，北京。

注釋：

齊白石畫《鐘馗搔背圖》，迄今所

見最早的是1926年(丙寅)之作,收入《齊白石作品集・第一集・繪畫》第37圖,圖上有"丙寅年自造稿"跋,可見該年始畫,但畫上又題"書丙寅詩題鐘馗搔背圖第五回也"——也許是丙寅年書畫多次,也許此題在丙寅年之後。為王治園所畫此幅《鐘馗搔背圖》與丙寅年之作大體相同,但筆墨更精秀,題詩也更有趣,是所見齊白石《搔背圖》中最精彩的。

90. 拈花微笑

立軸
紙本水墨設色
134×52.5cm
1936年

款題:
拈花微笑(篆)。治園三弟供奉。丙子。璜。

印章:
白石(朱文)
纘緒長壽(白文)
收藏印:周子奇(朱文)

收藏:
廣州市美術館

注釋:
"治園三弟"即四川王治園(纘緒)。王氏自稱"王三",白石有時亦稱"王三"。1936年,齊白石應王治園之邀遊蜀,居半年之久。此幅及《鐘馗搔背圖》、《人物畫稿》等,均此次蜀遊之作。

91. 作畫(人物畫稿之一)

冊頁
紙本墨筆
32×27.5cm
1936年

款題:
白石造稿。

印章:
齊大(白文)

收藏:
中央美術學院

92. 玩硯(人物畫稿之二)

冊頁
紙本墨筆
32×27.5cm
1936年

印章:
木人(朱文)

收藏:
中央美術學院

93. 醉歸(人物畫稿之三)

冊頁
紙本墨筆
32×27.5cm
1936年

印章:
阿芝(朱文)

收藏:
中央美術學院

94. 盜酒(人物畫稿之四)

冊頁
紙本墨筆
32×27.5cm
1936年

印章:
借山翁(白文)

收藏:
中央美術學院

95. 捅鼻(人物畫稿之五)

冊頁
紙本墨筆
32×27.5cm
1936年

印章:
苹翁(白文)

收藏:
中央美術學院

96. 煮茶(人物畫稿之六)

冊頁
紙本墨筆
32×27.5cm
1936年

印章:

老齊(朱文)

收藏：

中央美術學院

97. 夜讀(人物畫稿之七)

冊頁

紙本墨筆

32×27.5cm

1936 年

印章：

老白(白文)

收藏：

中央美術學院

98. 拜石(人物畫稿之八)

冊頁

紙本墨筆

32×27.5cm

1936 年

印章：

白石翁(白文)

收藏：

中央美術學院

99. 撫琴(人物畫稿之九)

冊頁

紙本墨筆

32×27.5cm

1936 年

印章：

苹翁(白文)

收藏：

中央美術學院

100. 偷桃(人物畫稿之十)

冊頁

紙本墨筆

32×27.5cm

1936 年

印章：

白石翁(白文)

收藏：

中央美術學院

101. 挖耳(人物畫稿之十一)

冊頁

紙本墨筆

32×27.5cm

1936 年

款題：

白石老人在四川時稿。

印章：

齊大(白文)

收藏：

中央美術學院

102. 墨荷

立軸

紙本水墨

135.1×33.2cm

1936 年

款題：

一花一葉掃凡胎。

墨海靈光五色開。

脩(修)到華嚴清靜福。

有人三世夢如來。

借昔人詩。時丙子春。吾將蜀游。冷盦(庵)友人先生法論。璜。

印章：

白石(朱文)

收藏：

楊永德

著録：

《齊白石畫法與欣賞》附第 120 圖，胡佩衡、胡橐著，人民美術出版社，1959 年，北京。

《中國嘉德'95 秋季拍賣會・楊永德藏齊白石書畫》第 225 號，1995 年，北京。

注釋：

畫上所題之詩，乃湖南畫家譚荔生(溥)作。白石早年曾向他學習山水畫。20 年代初，齊白石在《墨荷》中也曾題此詩，并寫明是“用譚荔仙老人句”。見《齊白石畫展》，日本大阪龍華堂發行，平成二年一月。由北京市文物公司提供作品。

103. 松鼠花生圖

立軸

紙本水墨設色

139.4×34cm

1936 年

款題：

生不願為上柱國。

死尤不願作閻羅。

閻羅點鬼心常忍。

柱國憂民事更多。

但願百年無病苦。

不教一息有愁魔。

悠悠乘化聊歸盡。

蟲背鼠肝皆太和。

購得益州十樣箋。
表將心願達青天。
花好常令朝朝艷。
明月何妨夜夜圓。
大地有泉皆化酒。
長林無樹不搖錢。
畫成却待凌風奏。
鬼怨神愁夜悄然。
(第五行好花二字誤書顛倒。)
柏雲賢外孫媳將倍(陪)寶珠侍余游蜀。求畫此幅并書幻想詩以紀之。丙子三月之初。白石。

印章:
白石(朱文)
尋思百計不如閒(閑)(朱文)

收藏:
楊永德

著録:
《中國嘉德'95秋季拍賣會·楊永德藏齊白石書畫》第338號,1995年,北京。

注釋:
白石所題《幻想詩》乃潘齡皋作。潘為清末進士,曾任甘肅布政使,民國初一度任甘肅省長,1922年辭職。

104. 長年圖
立軸
紙本水墨
117×34cm
1936年

款題:
李笠翁云(雲)。絹本只可收藏五百年。此帋(紙)可藏一千五百年也。惜綿料太厚。不受墨耳。畫于舊京城西。白石山翁并記。
秋壬先生。予之神交友也。已十年矣。今相遇於故都。甚懽(歡)。一日駕言返蜀。以此為別。予將隨後至成都。先生可臨風為待也。丙子春。齊璜。

印章:
木人(朱文) 老齊(朱文)

收藏:
私人

著録:
《翰海'95春季拍賣會·中國書畫》第234號,1995年,北京。

105. 人物畫稿
橫幅
紙本墨筆

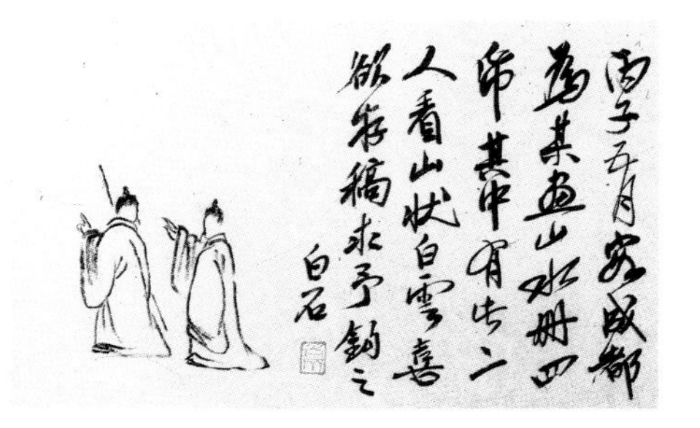

20×32cm
1936年

款題:
丙子五月客成都。為某畫山水册四帋(紙)。其中有此二人看山狀。白雲喜欲存稿。求予鈎之。白石。

印章:
老齊(朱文)

收藏:
私人

106. 松鳥圖
立軸
紙本水墨設色
140×34.4cm
1936年

款題:
真吾先生屬。丙子三月。齊璜作于治園。

印章:
白石(朱文)

收藏:
四川省博物館

107. 秋海棠
立軸
紙本水墨設色
135×34cm
1936年

款題:
碧苔朱草小亭幽。
曾見紅衫憶昔游。
隔得欄杆紅萬字。
相思飛上玉階秋。
冬心先生嘗畫一紅衫女子倚欄。題云(雲)。昔年曾見。
丙子夏四月。為逸民先生鑒家屬。齊璜。

印章:
白石(朱文)

收藏:
北京市文物公司

著録:
《齊白石繪畫精萃》第71圖,秦公、少楷主編,吉林美術出版社,1994年,長春。

108. 芙蓉
立軸
紙本水墨設色
134×33cm
1936年

款題:
御風昨夜别神仙。
羅袂生凉斗酒前。
三唱晨鷄天色滄。
芙蓉城裏月娟娟。
録游仙詩題此幅。覺畫亦生色。白石山翁齊璜。韙依先生論正。丙子冬初奉贈。

印章:
齊大(朱文) 老木(朱文)
白石(朱文)

收藏:
北京市文物公司

著録:
《齊白石繪畫精萃》第73圖,秦公、少楷主編,吉林美術出版社,1994年,長春。

109. 蘆蟹圖
立軸
紙本水墨
112×33cm
1936年

款題:
志筠女士清屬。白石齊璜。丙子游蜀作。

印章:
白石(朱文)

收藏:
北京市文物公司

著録:
《齊白石繪畫精萃》,秦公、少楷主編,吉林美術出版社,1994年,長春。

110. 白菜小鷄
立軸
紙本水墨
137.2×35.1cm
1936年

款題:
甫澄仁兄將軍清屬。丙子五月。齊璜白。

印章:
老苹(白文)

收藏:
四川省博物館

111. 蝦蟹圖

立軸
紙本水墨
139.9×34.4cm
1936 年

款題：
甫澄先生主席屬。齊璜畫于治園精室。

印章：
白石(朱文)

收藏：
四川省博物館

112. 九秋圖
長卷
紙本水墨設色
38.6×444.3cm
1936 年

款題：
九秋圖(篆)。
興公仁弟屬。丙子。兄璜來成都製。

印章：
老齊(朱文)　白石翁(白文)
老苹(白文)

收藏：
四川省博物館

注釋：
長卷在白石作品中較為罕見。“興公”為白石弟子余中英（1899—1983），號興公，四川郫縣人，民國時曾任軍政職，後為四川文史館研究員，中國書法家協會四川分會副主席。曾師事齊白石學習篆刻繪畫。

113. 牽牛花
立軸
紙本水墨設色
68.9×34.9cm
1936 年

款題：
智維女弟子清屬。丙子秋吾將還舊京。齊璜。

印章：
白石(朱文)

收藏：
四川省博物館

114. 芭蕉烏鴉
立軸
紙本水墨
180×47cm
1936 年

款題：
丙子秋九月製于故都。齊璜。

印章：
白石(朱文)
大匠之門(白文)
尋思百計不如閒(閑)(朱文)

收藏：
中央工藝美術學院

115. 螃蟹
立軸
紙本水墨
143×34.5cm
1936 年

款題：
彥尊先生雅屬。丙子重陽後二日畫于舊京。齊璜。

印章：
白石(朱文)

收藏：
中國藝術研究院美術研究所

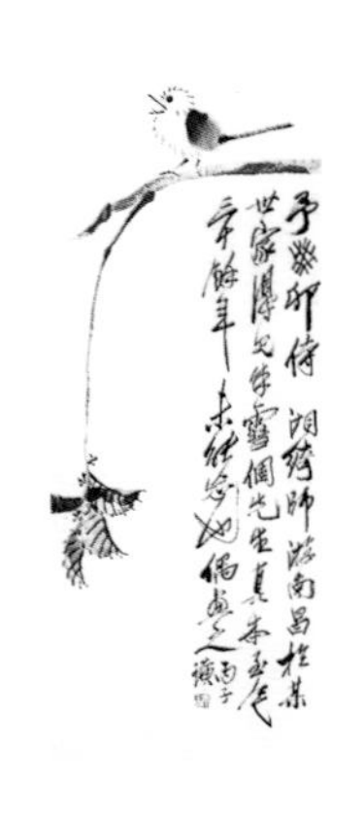

116. 仿八大山人花鳥
立軸
紙本水墨
80.5×24.7cm
1936 年

款題：
予癸卯侍湘綺師游南昌。於某世家得見朱雪個(个)先生真本。至今三十餘年。未能忘也。偶畫之。丙子。璜。

印章：
老白(白文)

收藏：
中國美術館

117. 牡丹
立軸
紙本水墨設色
137×34cm
1936 年

款題：
白石。
喜安先生雅屬。丙子。齊璜。

印章：
白石(朱文)
木人(朱文)

收藏：
霍宗傑

著録：
《齊白石畫海外藏珍》第 39 圖，王大山主编，榮寶齋（香港）有限公司，1994 年，香港。

118. 棕樹麻雀
立軸
紙本水墨設色
138.5×33.8cm
1936 年

款題：
晉航先生清屬。丙子。齊璜。

印章：
白石(朱文)

收藏：
中國美術館

著録：
《齊白石作品集》第 42 圖，董玉龍主编，天津人民美術出版社，1990 年，天津。
《齊白石繪畫精品選》第 36 頁，董玉龍主编，人民美術出版社，1991 年，北京。

119. 紅梅
立軸
紙本水墨設色
135×33cm
1936 年

款題：
光普先生屬作。白石齊璜。時丙子為客蓉城。

印章：
白石(朱文)
收藏印：□

著録：
《齊白石畫海外藏珍》第 40 圖，王大山主编，榮寶齋（香港）有限公司，1994 年，香港。

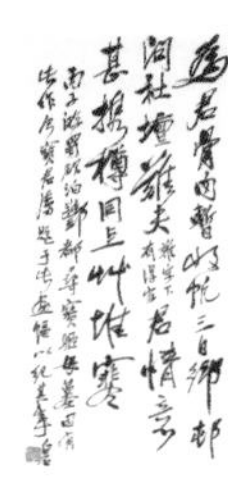

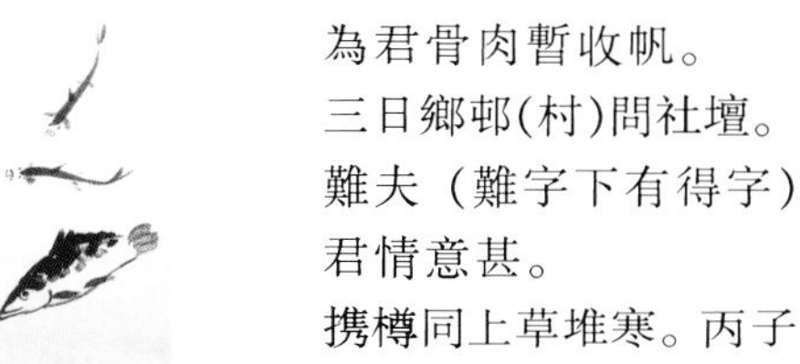

120. 魚樂圖

立軸
紙本水墨
130×31cm
1936 年

款題:

為君骨肉暫收帆。
三日鄉邨(村)問社壇。
難夫（難字下有得字）
君情意甚。
携樽同上草堆寒。丙子游蜀。欲泊酆都尋竇姬母墓。因有此作。今竇君屬題于此畫幅。以紀其事。白石。

印章:

白石翁(白文)

收藏:

私人

著録:

《齊白石繪畫精品集》第 38 頁, 人民美術出版社, 1991 年, 北京。

121. 青蛙蝌蚪

立軸
紙本水墨
106.5×25cm
1936 年

款題:

好寫(此二字不要)。
卅載何須淚(泪)不乾。
從來生女勝生男。
好寫墓碑胡母字。
千秋名跡借王三。
王三。王纘緒軍長也。竇妹之屬。時居治園清宅。白石并題贈詩。

印章:

齊大(白文)

收藏:

私人

著録:

《齊白石繪畫精品集》第 38 頁, 人民美術出版社, 1991 年, 北京。

122. 香火螳螂圖

立軸
紙本水墨設色
82×18.3cm
1936 年

款題:

丙子秋七月。寄萍堂上老人應興公弟之請。時客蓉。

印章:

白石翁(白文)

收藏:

四川省博物館

123. 春風歸帆圖

立軸
紙本水墨
104×40.5cm
1936 年

款題:

餘三先生清屬。丙子。齊璜。

印章:

老白(白文)

收藏:

北京市文物公司

著録:

《齊白石繪畫精萃》第 66 圖, 秦公、少楷主编, 吉林美術出版社, 1994年, 長春。

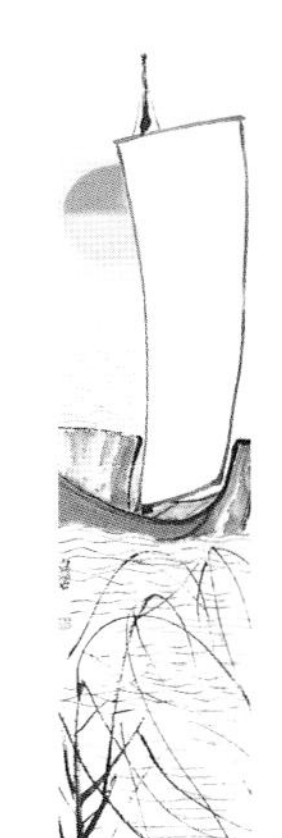

124. 揚帆圖

立軸
紙本水墨設色
117×26cm
約 30 年代中期

款題:

白石。

印章:

齊璜(白文)
白石翁(白文)

收藏:

唐雲原藏, 現藏梁穗。

125. 梅花草堂圖

鏡心
紙本
83×83cm
1936 年

款題:

梅花草堂圖(篆)。
屺瞻先生清屬。丙子冬畫于故都。齊璜。

印章:

木人(朱文)　白石翁(白文)

收藏:

朱屺瞻

著録:

《朱屺瞻年譜》附圖, 馮其庸、尹光華編, 上海書畫出版社, 上海。

126. 山居圖

立軸
紙本水墨設色
103×38cm
約 30 年代中期

款題:

子琴先生雅屬。齊璜製。

印章:

齊璜(白文)
夢想芙蓉路八千(朱文)

收藏:

邵宇原藏, 現藏炎黃藝術館藝術中心。

127. 柳屋水禽圖

立軸
紙本水墨設色
132.7×38.7cm
約 30 年代中期

款題:

齊璜

印章:

木人(朱文)

收藏:

王方宇

著録:

《看齊白石畫》第 1 圖, 王方宇、許芥昱合著, 藝術圖書公司, 1979 年, 臺北。

128. 柏屋山居

立軸
紙本水墨設色
100×33cm
約 30 年代中期

款題:

己酉還家丁巳逢。
九年閒(閑)空假称(稱)農。
鄰翁咲(笑)道齊君懶。
洗脚上床夕照紅。
白石山翁畫并題。

印章:

阿芝(朱文)　木居士(白文)

收藏：

霍宗傑

著録：

《齊白石畫海外藏珍》第 5 圖，王大山主編，榮寶齋（香港）有限公司，1994 年，香港。

129. 江畔松居

立軸

紙本水墨設色

64.5×31.5cm

約 30 年代中期

款題：

齊璜。

印章：

齊白石(白文)

收藏：

上海朵雲軒

130. 祇有扁舟同患難

立軸

紙本水墨

73×20.5cm

約 30 年代中期

款題：

森然先生。白石。

何物与（與）人同患難。只(祇)有扁舟。三百石印富翁并題。

印章：

齊大(朱文)

木人(朱文)

收藏：

北京市文物公司

著録：

《齊白石繪畫精萃》第 63 圖，秦公、少楷主編，吉林美術出版社，1994 年，長春。

131. 秋山晚照

立軸

紙本水墨設色

153.7×41.6cm

約 30 年代中期

款題：

秋山晚照。

借山吟館主者意造。

印章：

老白(白文)

收藏：

中央工藝美術學院

132. 耕種圖(人物條屏之一)

立軸

紙本水墨設色

117×37cm

約 30 年代中期

款題：

耕種圖(篆)。

三百石印富翁。

印章：

白石翁(白文)

老木(朱文)

夢想芙蓉路八千(朱文)

收藏：

葉伯生

133. 湖海讀書圖（人物條屏之二）

立軸

紙本水墨設色

117×37cm

約 30 年代中期

款題：

湖海讀書圖(篆)。

齊璜製。

印章：

老白(白文)

悔烏堂(朱文)

收藏：

葉伯生

134. 魚釣圖(人物條屏之三)

立軸

紙本水墨設色

117×37cm

約 30 年代中期

款題：

魚釣圖(篆)。

借山吟館主者。

印章：

白石翁(白文)

老木(朱文)

歸夢看池魚(朱文)

收藏：

葉伯生

135. 休閑圖(人物條屏之一)

立軸

紙本水墨設色

120×35cm

約 30 年代中期

款題：

休閒(閑)圖(篆)。

杏子隖老民。

印章：

齊大(朱文)

悔烏堂(朱文)

收藏：

葉伯生

136. 撫劍圖(人物條屏之二)

立軸

紙本水墨設色

120×35cm

約 30 年代中期

款題：

撫劍圖(篆)。

借山吟館主者。

印章：

白石翁(白文)

老木(朱文)

收藏：

葉伯生

137. 降妖圖(人物條屏之三)

立軸

紙本水墨設色

120×35cm

約 30 年代中期

款題：

降妖圖(篆)。

齊璜。

印章：

齊璜(白文)

齊大(朱文)

收藏：

葉伯生

138. 踏雪尋梅圖（人物條屏之四）

立軸

紙本水墨設色

120×35cm

約 30 年代中期

款題：

踏雪尋梅圖(篆)。

玅（妙）如女弟屬。璜。

印章：

白石翁(白文)

老木(朱文)

收藏：

葉伯生

139. 坐禪圖

立軸

紙本水墨設色

106×52cm

約 30 年代中期

款題：

借山吟館主者造像。

印章：

白石翁(白文)

老木(朱文)

悔烏堂(朱文)

收藏：

朱為清

140. 觀音

立軸

紙本水墨設色

101.5×33.5cm

約 30 年代中期

款題：

齊璜恭繪。

印章：

齊大(白文)

收藏：

楊永德

著録：

《中國嘉德'95 秋季拍賣會・楊永德藏齊白石書畫》第 190 號，1995 年，北京。

141. 拈花微笑

立軸

紙本水墨設色

103.5×34cm

約 30 年代中期

款題：

拈花微笑。

齊璜繪。

印章：

白石(朱文)

收藏印：我家歡喜(朱文)

收藏：

楊永德

著録：

《中國嘉德'95 秋季拍賣會・楊永德藏齊白石書畫》第 212 號，1995 年，北京。

142. 童戲圖

鏡心

紙本水墨設色

25×10.8cm

約 30 年代中期

款題：

白石。

印章：

阿芝(朱文)

收藏：

楊永德

著録：

《中國嘉德'95 秋季拍賣會・楊永德藏齊白石書畫》第 187 號，1995 年，北京。

143. 老當益壯

立軸

紙本水墨設色

100×33.5cm

約 30 年代中期

款題：

老當益壯(篆)。

三百石印富翁齊璜。

印章：

白石造化(白文)

大匠之門(白文)

尋思百計不如閒(閑)(朱文)

收藏：

中央工藝美術學院

144. 玩硯圖

立軸

紙本水墨設色

41×30.3cm

約 30 年代中期

款題：

玩硯圖(篆)。

借山吟館主者。

印章：

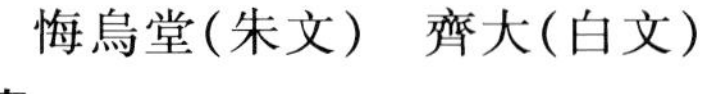

悔烏堂(朱文)　齊大(白文)

收藏：

南京市博物院

145. 芙蓉(花卉條屏之一)

立軸

紙本水墨設色

101×29cm

約 30 年代中期

款題：

瀕生。

印章：

齊大(朱文)

老白(白文)

夢想芙蓉路八千(朱文)

收藏：

胡末

146. 藤蘿(花卉條屏之二)

立軸

紙本水墨設色

101×29cm

約 30 年代中期

款題：

白石。

印章：

齊璜(白文)

齊大(朱文)

悔烏堂(朱文)

收藏：

胡末

147. 海棠(花卉條屏之三)

立軸

紙本水墨設色

101×29cm

約 30 年代中期

款題：

余為冷厂(庵)先生畫此。又變也。白石并記。

印章：

白石翁(白文)

老木(朱文)

雕蟲小技家聲(朱文)

收藏：

胡末

148. 綠梅（花卉條屏之四）

立軸

紙本水墨設色

101×29cm

約 30 年代中期

款題：

三百石印富翁。

印章：

齊大（朱文）

甑屋（朱文）

收藏：

胡未

149. 珠散星懸

立軸

紙本水墨設色

100.1×33cm

約 30 年代中期

款題：

珠散星懸。

三百石印富翁作。

印章：

老木（朱文）

收藏：

中國美術館

150. 鼠子鬧山館

立軸

紙本水墨設色

129×33.4cm

約 30 年代中期

款題：

余一日畫鼠子鬧山館圖。為鄉人竊之袖去。楚失楚得。何足在懷。遂取昏（紙）快成此幅。白石并記。

印章：

白石（朱文）

收藏印：仁和沈氏曾藏（朱文）

收藏：

夏衍原藏，現藏浙江省博物館。

151. 鼠子嚙書圖

立軸

紙本水墨

143.7×35cm

約 30 年代中期

款題：

一日畫鼠子嚙書圖。為同鄉人背余袖去。余自頗喜之。遂取昏（紙）追摹二幅。此第二也。時居故都西城太平橋外。白石山翁齊璜并記。

印章：

白石（朱文）

收藏：

中國美術館

著録：

《齊白石作品集》第 67 圖，董玉龍主編，天津人民美術出版社，1990 年，天津。

152. 柳牛圖

立軸

紙本水墨

132×21.7cm

約 30 年代中期

款題：

齊璜。

印章：

齊大（朱文）

收藏：

王方宇

著録：

《看齊白石畫》第 4 圖，王方宇、許芥昱合著，藝術圖書公司，1979 年，臺北。

153. 枯樹雙鴉

立軸

紙本水墨

130×34cm

約 30 年代中期

款題：

借山吟館主者一時清興可見之於草木。

印章：

白石（朱文）

收藏：

遼寧省博物館

著録：

《齊白石畫册》第 33 圖，遼寧省博物館編，遼寧美術出版社，1961 年，瀋陽。

154. 蝴蝶蘭

立軸

紙本水墨設色

136×33cm

約 30 年代中期

款題：

畫花卉半工半寫昔人所有。大寫意昔人所無。白石山翁製。

印章：

木居士（白文）

收藏：

遼寧省博物館

著録：

《齊白石畫册》第 32 圖，遼寧省博物館編，遼寧美術出版社，1961 年，瀋陽。

155. 藤蘿

立軸

紙本水墨設色

99×33.5cm

約 30 年代中期

款題：

寄萍堂上老人製。

印章：

木人（朱文）

白石翁（白文）

收藏：

陝西美術家協會

156. 秋海棠

立軸

紙本水墨設色

131×32.5cm

約 30 年代中期

款題：

七月西風十指涼。

捲簾斜日射銀牆。

山翁把筆忙何苦。

争得秋光上海棠。

舊句。借山吟館主者。

印章：

木人（朱文）　白石翁（白文）

收藏：

香港蘇富比拍賣行

157. 蜻蜓戲水圖

立軸

紙本水墨

101×32.4cm

約 30 年代中期

款題：

欵（款）欵亭亭。

白石山翁衰目。

印章：

木人（朱文）

收藏：

香港蘇富比拍賣行

158. 簍蟹

立軸

紙本水墨

67.6×34.5cm

約 30 年代中期

款題：

菊花開也蟹初肥。君不飲。計己非。白石。

印章：

齊大（朱文）

收藏：

中國美術館

著録：

《齊白石繪畫精品選》第 63 頁，董玉龍主編，人民美術出版社，1991 年，北京。

159. 松鼠葡萄

立軸

紙本水墨設色

135.4×33.8cm

約 30 年代中期

款題：

三百石印富翁齊璜。

印章：

白石翁（白文）

收藏：

魯迅美術學院

160. 藤蘿

立軸

紙本水墨設色

135.5×33.9cm

約 30 年代中期

款題：

白石山翁

印章：

木人（朱文）

收藏：

魯迅美術學院

161. 雁來紅草蟲

立軸

紙本水墨設色

95×32.5cm

約 30 年代中期

款題：

寄萍堂上老人彊（强）持細筆。

印章：

阿芝（朱文）

收藏：

北京畫院

162. 稻穗草蟲

立軸

紙本水墨設色

104×36cm

約 30 年代中期

款題：

稻水千區映。

村煙（烟）幾處斜。

社歌聲不絶。

于此見年華。

石沉句。白石畫。

印章：

木人（朱文）

收藏：

私人

163. 稻穗蝗蟲（花果草蟲册之一）

册頁

紙本水墨設色

26×19cm

約 30 年代中期

款題：

杏子隖老民畫于燕。

印章：

白石翁（白文）

收藏：

于非闇原藏，現藏梁穗。

164. 藤蘿（花果草蟲册之二）

册頁

紙本水墨設色

26×19cm

約 30 年代中期

款題：

阿芝

印章：

齊璜（白文）

收藏：

于非闇原藏，現藏梁穗。

165. 蝌蚪（花果草蟲册之三）

册頁

紙本水墨設色

26×19cm

約 30 年代中期

款題：

寄萍堂上老人。

印章：

白石翁（白文）

收藏：

于非闇原藏，現藏梁穗。

166. 絲瓜（花果草蟲册之四）

册頁

紙本水墨設色

26×19cm

約 30 年代中期

款題：

瀕生

印章：

齊大（白文）

收藏：

于非闇原藏，現藏梁穗。

167. 菊花(花果草蟲册之五)

册頁

紙本水墨設色

26×19cm

約 30 年代中期

款題：

寄萍堂上老人。

印章：

齊璜(白文)

收藏：

于非闇原藏，現藏梁穗。

168. 梅花喜鵲

立軸

紙本水墨設色

136×36cm

約 30 年代中期

款題：

借山吟館主者齊璜。冬雪初晴人快時。畫此于舊京華。

印章：

齊璜(白文)

白石翁(白文)

收藏：

炎黄藝術館藝術中心

169. 藤蘿

立軸

紙本水墨設色

140×33cm

約 30 年代中期

款題：

余之畫法七十歲後一變。又變也。三百石印富翁并記。于故都城西。

印章：

齊大(朱文)

甑屋(朱文)

收藏：

王大山原藏，現藏炎黄藝術館藝術中心。

170. 藤蘿

立軸

紙本水墨設色

132×15cm

約 30 年代中期

款題：

三百石印富翁。

印章：

老木(朱文)　白石翁(白文)

悔烏堂(朱文)

收藏：

王大山原藏，現藏梁穗。

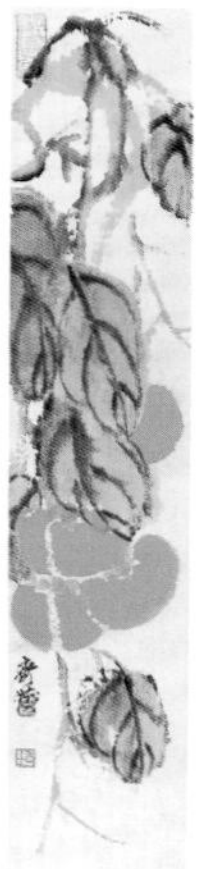

171. 柿子

立軸

紙本水墨設色

181×43cm

約 30 年代中期

款題：

齊璜

印章：

白石翁(白文)

老木(朱文)

悔烏堂(朱文)

收藏：

炎黄藝術館藝術中心

172. 石榴

立軸

紙本水墨設色

132×15cm

約 30 年代中期

款題：

子彬先生之屬。白石。

印章：

悔烏堂(朱文)　白石翁(白文)

歸夢看池魚(朱文)　齊璜(白文)

收藏：

王大山原藏，現藏梁穗。

173. 葫蘆

扇面

紙本水墨設色

18.8×50.6cm

約 30 年代中期

款題：

銕冰先生正。齊璜畫。

印章：

木人(朱文)

收藏印：君匋心賞(朱文)

收藏：

西安美術學院

174. 蘆葦群蝦

立軸

紙本水墨

168×42.9cm

約 30 年代中期

款題：

借山吟館主者

印章：

齊大(朱文)

收藏：

中國美術館

175. 蜻蜓荷花

立軸

紙本水墨設色

118.6×33cm

約 30 年代中期

款題：

白石。

印章：

白石(朱文)

收藏：

王方宇

著録：

《看齊白石畫》第 22 圖，王方宇、許芥昱合著，藝術圖書公司，1979 年，臺北。

176. 清白傳家圖

立軸

紙本水墨

137×33.5cm

約 30 年代中期

款題：

清白傳家圖。

余少時。衡山陳世珠畫菜小册秘藏之。此時不知歸誰耳。白石畫此感記之。

印章：

白石翁(白文)

老夫也在皮毛類(白文)

收藏：

北京畫院

177. 棕樹小鷄

立軸

紙本水墨

66×34cm

約 30 年代中期

款題：

白石。

印章：

齊大(白文)

著録：

《齊白石畫集》第 52 圖，嚴欣强、金岩編，外文出版社，1990 年，北京。

178. 藤蘿蜜蜂

扇面

紙本水墨設色

18.8×50.6cm

約 30 年代中期

款題：

白石。

印章：

木人(朱文)

收藏：

天津人民美術出版社

179. 荔枝

册頁

紙本水墨設色

33×34cm

約 30 年代中期

款題：

小名阿芝畫。

印章：

借山翁(朱文)

收藏：

北京榮寶齋

180. 兔子白菜

立軸

紙本水墨設色

80×40cm

約 30年代中期

款題：

白石齊璜。

印章：

齊大(朱文)

收藏：

私人

著録：

《齊白石繪畫精品集》第 48 頁，人民美術出版社，1991 年，北京。

181. 玉蘭

立軸

紙本水墨設色

83×32cm

約 30 年代中期

款題：

過去董狐刀筆絶。好花含笑欲商量。白石并句。

印章：

老白(白文)

收藏：

吳祖光

182. 松鷹

立軸

紙本水墨

152.7×74cm

約 30 年代中期

款題：

白石。

印章：

白石老人(白文)

木人(朱文)

收藏：

中國美術館

著録：

《齊白石作品集》第 74 圖，董玉龍主編，天津人民美術出版社，1990 年，天津。

183. 清白

立軸

紙本水墨設色

82×33cm

約 30 年代中期

款題：

清白。

今日見余偽本。其菜色深厚。戲為此幅。白石。

印章：

木人(朱文)

收藏：

上海美術家協會

184. 荷花蜻蜓

立軸

紙本水墨

80×40cm

約 30 年代中期

款題：

白石

印章：

齊大(朱文)

收藏：
私人
著録：
《齊白石繪畫精品集》第 59 頁，人民美術出版社，1991 年，北京。

185. 蝴蝶蘭蜻蜓
扇面
紙本水墨設色
18.8×50.6cm
約 30 年代中期
款題：
白石。
印章：
老白(白文)
收藏：
北京市文物公司
著録：
《齊白石繪畫精萃》第 203 圖，秦公、少楷主编，吉林美術出版社，1994 年，長春。

186. 三魚圖
鏡片
紙本水墨
18.5×27cm
約 30 年代中期
款題：
杏子隖老民製。
印章：
木人(朱文)
收藏：
中央美術學院

187. 芭蕉群雛
立軸
紙本水墨
144.5×34.5cm
約 30 年代中期
款題：
白石
印章：
老木(朱文)
收藏印：仁和沈氏曾藏(朱文)
收藏：
夏衍原藏，現藏浙江省博物館。

188. 枯荷
立軸
紙本水墨設色
183×56cm
約 30 年代中期
款題：
齊璜白石翁。
印章：
木居士(白文)
收藏：
北京畫院
著録：
《齊白石畫集》第 36 圖，嚴欣强、金岩編，外文出版社，1990 年，北京。

189. 秋光圖
立軸
紙本水墨設色
112.8×49cm
約 30 年代中期
款題：
齊璜
印章：
白石翁(白文)
收藏：
中國美術館
著録：
《齊白石作品集》第 71 圖，董玉龍主编，天津人民美術出版社，1990 年，天津。
《齊白石繪畫精品選》第 64 頁，董玉龍主编，人民美術出版社，1991 年，北京。

190. 稻穗蚱蜢
扇面
紙本水墨設色
18.8×50.6cm
約 30 年代中期

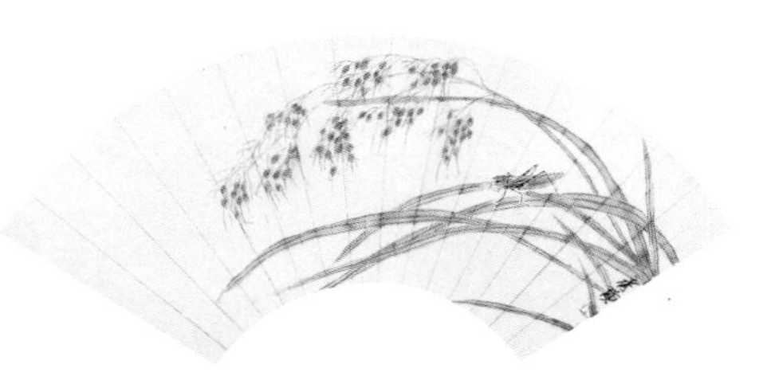

款題：
齊璜。
印章：
木人(朱文)
收藏：
天津人民美術出版社

191. 蓮蓬蜻蜓
立軸
紙本水墨設色
135.5×32.8cm
約 30 年代中期
款題：
白石山翁製。
印章：
老白(白文)
白石翁(白文)
收藏：
中國美術館
著録：
《齊白石作品集》第 73 圖，董玉龍主编，天津人民美術出版社，1990 年，天津。
《齊白石繪畫精品選》第 53 頁，董玉龍主编，人民美術出版社，1991 年，北京。

192. 對花獻酒圖
立軸
紙本水墨設色
63×34cm
約 30 年代中期
款題：
山居絶少繁華事。
酌酒看花便過年。
瑟夫先生屬。白石。

印章：

齊大(白文)

收藏：

霍宗傑

著録：

《齊白石畫海外藏珍》第 41 圖，王大山編，榮寶齋(香港)有限公司，1994 年，香港。

193. 蘭花

鏡片

紙本水墨設色

45.7×41cm

約 30 年代中期

款題：

白石。

右邊即作毛邊。不要截(裁)齊。若截(裁)齊不成畫矣。白石又及。

印章：

齊大(朱文)　木人(朱文)

白石相贈(白文)　知己有恩(朱文)

收藏印：□

收藏：

私人

著録：

《看齊白石畫》第 36 圖，王方宇、許芥昱合著，藝術圖書公司，1979 年，臺北。

194. 竹子桃花

立軸

紙本水墨設色

122.5×32.4cm

約 30 年代中期

款題：

白石老人齊璜畫于京華。

印章：

齊大(朱文)

收藏：

中國美術館

195. 芭蕉花卉

立軸

紙本水墨設色

125×39cm

約 30 年代中期

款題：

齊璜

印章：

老木(白文)

收藏印：□

著録：

《齊白石畫集》第 32 圖，嚴欣强、金岩編，外文出版社，1990年，北京。

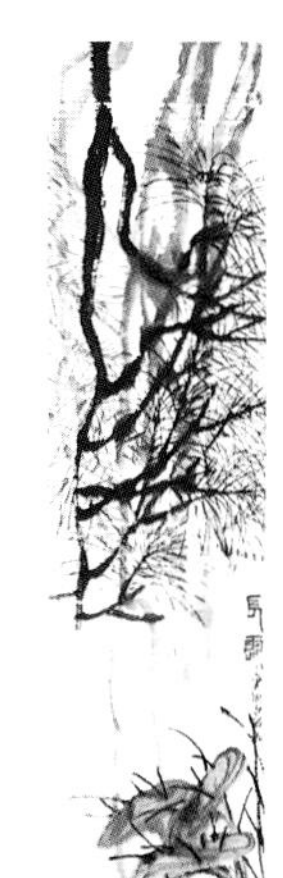

196. 松芝長壽

立軸

紙本水墨設色

124×30cm

約 30 年代中期

款題：

長壽(篆)。

齊璜白石。

印章：

老白(白文)

收藏：

中央工藝美術學院

197. 石榴

立軸

紙本水墨設色

137.2×34cm

約 30 年代中期

款題：

碎瑪瑙以盛來。點胭脂而艷絶。寄萍堂上老人製于舊京借山唫(吟)館。

印章：

白石翁(白文)

收藏：

中國美術館

著録：

《齊白石繪畫精品選》第 34 頁，董玉龍主編，人民美術出版社，1991 年，北京。

198. 松鷹圖

立軸

紙本水墨

179×48cm

約 30 年代中期

款題：

白石

印章：

白石翁(白文)

收藏：

私人

著録：

《齊白石畫集》第 37 圖，嚴欣强、金岩編，外文出版社，1990 年，北京。

199. 松鳥圖

立軸

紙本水墨設色

101.5×33cm

約 30 年代中期

款題：

白石

印章：

齊大(朱文)

收藏：

中國藝術研究院美術研究所

著録：

《齊白石繪畫精品選》第 22 頁，董玉龍主編，人民美術出版社，1991 年，北京。

200. 南瓜

立軸

紙本水墨設色

134.5×33cm

約 30 年代中期

款題：

北地南方皆有此瓜。其瓣分明。易剖也。寄萍堂上老人畫并題記。

印章：

白石翁(白文)

收藏：

廣西壯族自治區博物館

201. 柳牛圖

立軸

紙本水墨

81.5×24.4cm

約 30 年代中期

款題：

阿芝

印章：

老苹(白文)

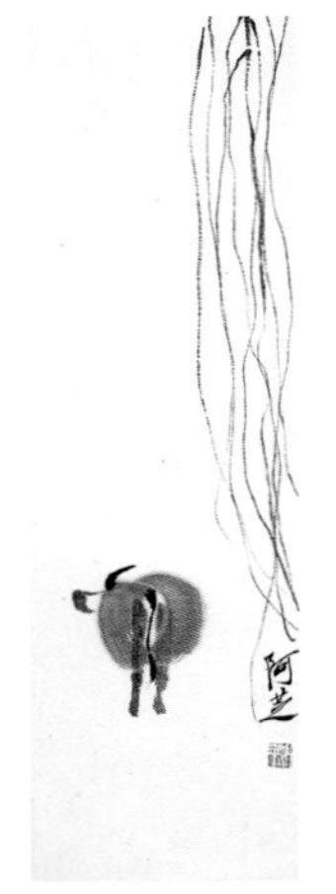

收藏：

中國美術館

著録：

《齊白石繪畫精品選》第72圖，董玉龍主編，人民美術出版社，1991年，北京。

202. 玉米

立軸

紙本水墨設色

108.7×35cm

約30年代中期

款題：

八硯樓頭久別人製于京華。

印章：

齊大(朱文)

收藏：

北京市文物公司

著録：

《齊白石繪畫精萃》第180圖，秦公、少楷主編，吉林美術出版社，1994年，長春。

203. 松鷹圖

立軸

紙本水墨設色

130.5×62.5cm

約30年代中期

款題：

齊璜畫。

印章：

白石翁(白文)

御制淳化軒刻畫室(朱文)

收藏：

天津藝術博物館

204. 松鷹圖

立軸

紙本水墨設色

179.5×64cm

約30年代中期

款題：

齊璜製于京華。

印章：

木人(朱文)

萍翁(白文)

收藏：

中國美術館

著録：

《齊白石繪畫精品選》第57頁，董玉龍主編，人民美術出版社，1991年，北京。

205. 玉簪蜻蜓

立軸

紙本水墨設色

84×34cm

約30年代中期

款題：

魯生先生雅屬。鄉愚叟齊璜作于燕京。

印章：

齊大(白文)

夢想芙蓉路八千(朱文)

收藏印：湖南省博物館收藏(朱文)

收藏：

湖南省博物館

206. 菜根滋味

立軸

紙本水墨

65×32cm

約30年代中期

款題：

菜根滋味惟仕宦不能知。獨吾友簡廬仁兄先生好之。今為女公子作畫。因畫菜類。齊璜。

印章：

木人(朱文)

收藏：

北京市文物公司

著録：

《齊白石繪畫精萃》第51圖，秦公、少楷主編，吉林美術出版社，1994年，長春。

207. 青蛙

立軸

紙本水墨設色

125.8×31.8cm

約30年代中期

款題：

齊璜白石

印章：

齊大(朱文)

收藏：

中國美術館

著録：

《齊白石作品集》第46圖，董玉龍主編，天津人民美術出版社，1990年，天津。

208. 棕樹

立軸

紙本水墨設色

168.5×40cm

約30年代中期

款題：

葉似新蒲緑。

身如亂錦纏。

任君千度剥。

意气(氣)自衝天。

借徐仲雅詩。白石山翁。

印章：

老木(朱文)

收藏：

私人

著録：

《齊白石繪畫精品集》第27頁，人民美術出版社，1991年，北京。

209. 牽牛草蟲

立軸

紙本水墨設色

100.1×33.2cm

約30年代中期

款題：

白石

印章：

木人(朱文)

收藏：

中國美術館

著録：

《齊白石繪畫精品選》第65頁，董玉龍主編，人民美術出版社，1991年，北京。

210. 雛鷄出籠

立軸

紙本水墨

130×32cm
約 30 年代中期

款題：
寄萍堂上老人齊璜製。

印章：
齊大(朱文)

收藏：
霍宗傑

著録：
《齊白石畫海外藏珍》第 38 圖，王大山主编，榮寶齋（香港）有限公司，1994 年，香港。

211. 鷄

立軸
紙本水墨設色
100×34cm
約 30 年代中期

款題：
仲軒先生屬。白石。

印章：
齊大(朱文)

收藏：
北京市文物公司

著録：
《齊白石繪畫精萃》第 89 圖，秦公、少楷主编，吉林美術出版社，1994 年，長春。

212. 九如圖

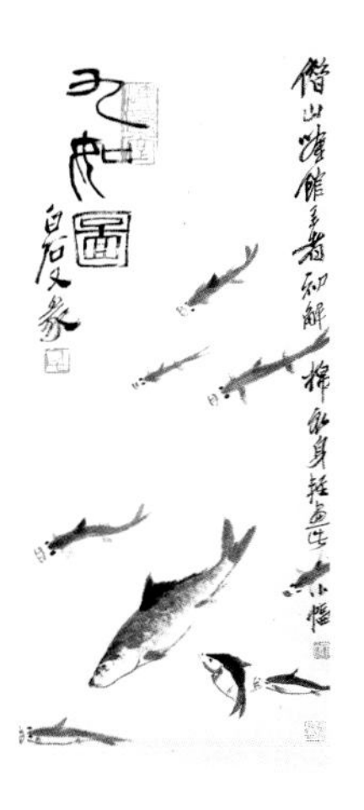

立軸
紙本水墨
63.5×30.2cm
約 30 年代中期

款題：
借山唫(吟)館主者。初解棉衣。身輕。畫此小幅。
九如圖。
白石又篆。

印章：
齊大(白文)　白石(朱文)
悔烏堂(朱文)　收藏印：米谷(朱文)

收藏：
私人

著録：
《齊白石繪畫精品集》第 54 頁，人民美術出版社，1991 年，北京。

213. 紅蓼雙鴨

立軸
紙本水墨設色

149×49cm
約 30 年代中期

款題：
寄萍堂上老人畫戲。

印章：
齊大(朱文)
白石翁(白文)
收藏印：仁和沈氏曾藏(朱文)

收藏：
夏衍原藏，現藏浙江省博物館。

214. 貝葉工蟲

立軸
紙本水墨設色
140×37cm
約 30 年代中期

款題：
白石老人畫于故都城西太平橋外。

印章：
白石(朱文)
老白(白文)

收藏：
唐雲原藏，現藏炎黄藝術館藝術中心。

215. 松鼠争食圖

立軸
紙本水墨
130×33.5cm
1937 年

款題：
子英先生之雅。丙子十二月。白石齊璜。

印章：
白石(朱文)

收藏：
北京榮寶齋

216. 松鼠

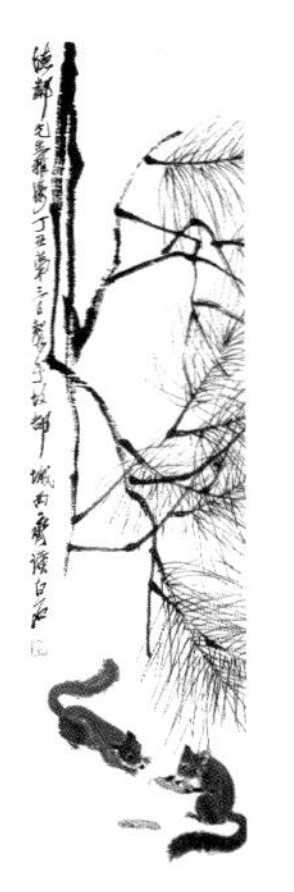

立軸
紙本水墨
135×34cm
1937 年

款題：
德鄰先生雅屬。丁丑第三日製于故都城西。齊璜白石。

印章：
白石(朱文)

收藏：
北京市文物公司

著録：
《齊白石繪畫精萃》第 77 圖，秦公、少楷主编，吉林美術出版社，1994 年，長春。

217. 公鷄

立軸
紙本水墨設色
67.4×34.4cm
1937 年

款題：
七十五翁齊璜。

印章：
老木(朱文)

收藏：
中國美術館

218. 群蝦圖

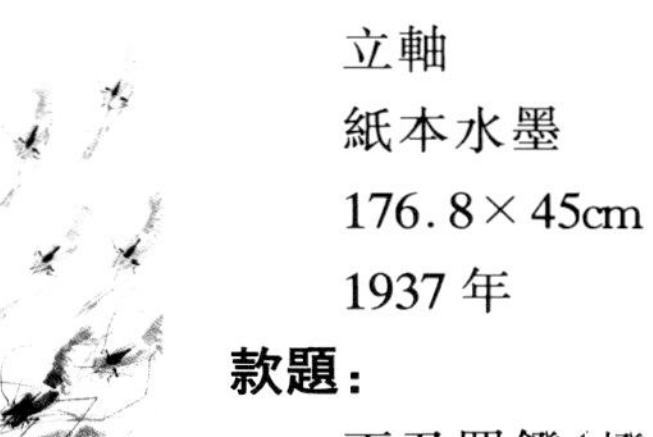

立軸
紙本水墨
176.8×45cm
1937 年

款題：
丁丑買鐙(燈)日。白石齊璜畫于故都。

印章：
白石(朱文)

收藏：
中國美術館

著録：
《齊白石作品集》第 43 圖，董玉龍主编，天津人民美術出版社，1990 年，天津。

219. 松鼠

立軸
紙本水墨
123.2×30cm
1937 年

款題：
白石山翁七十五歲時畫于故都城西太平橋外。

印章：
白石(朱文)
木居士(白文)

收藏：
私人

著録：
《齊白石繪畫精品集》第 42 頁，人民美術出版社，1991 年，北京。

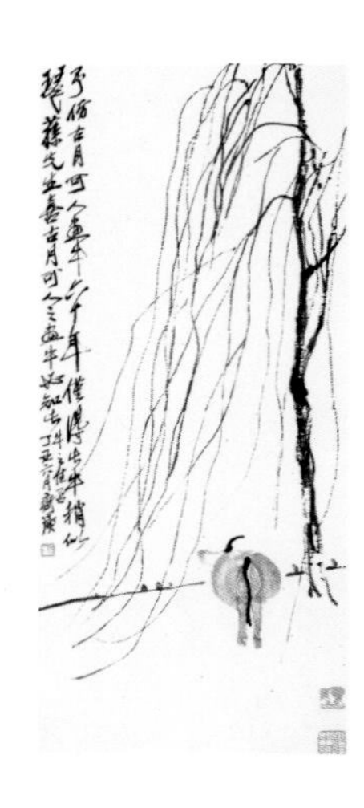

220. 柳牛圖

立軸

紙本水墨

84.5×36.5cm

1937年

款題：

予仿古月可人畫牛六十年。僅得此牛稍似。琴蓀先生喜古月可人之畫牛。必知此牛之佳否。丁丑六月。齊璜。

印章：

木人(朱文)　飲牛圖(肖形白文)

鈔相牛經(朱文)

收藏：

北京市文物公司

著録：

《齊白石繪畫精萃》第75圖，秦公、少楷主編，吉林美術出版社，1994年，長春。

221. 葫蘆蟈蟈

立軸

紙本水墨設色

90.8×21.3cm

1937年

款題：

少懷仁弟為小女良止之師。能盡心力。畫此贈之。以紀其事。丁丑秋。白石老人。

印章：

齊大(白文)

收藏：

私人

著録：

《齊白石繪畫精品集》第50頁，人民美術出版社，1991年，北京。

222. 三子圖

立軸

紙本水墨設色

87×70cm

1937年

款題：

三子(篆)。

蹍依仁弟生於己酉。畫此為多子之祝。璜。丁丑。

印章：

白石翁(白文)

年高身健不肯作神仙(朱文)

收藏印：曾經許葵珍護(朱文)

收藏：

首都博物館

223. 仁者多壽

立軸

紙本水墨設色

135.8×32.8cm

1937年

款題：

仁者多壽(篆)。

齊璜。丁丑年七十七矣。時居舊都。

印章：

齊大(朱文)

收藏印：仁和沈氏曾藏(朱文)

收藏：

夏衍原藏，現藏浙江省博物館。

224. 白菜蟈蟈

立軸

紙本水墨設色

68.5×34.5cm

1937年

款題：

三百石印富翁齊璜。七十七歲老眼作。

印章：

齊大(朱文)

收藏：

北京市文物公司

著録：

《齊白石繪畫精萃》第76圖，秦公、少楷主編，吉林美術出版社，1994年，長春。

225. 紫藤

扇面

紙本水墨設色

24×64cm

1937年

款題：

蹍依仁弟雅屬。齊璜製於故都。丁

丑。

印章：

老木(白文)

收藏：

霍宗傑

著録：

《齊白石畫海外藏珍》第46圖，王大山主編，榮寶齋（香港）有限公司，1994年，香港。

226. 耄耋圖

立軸

紙本水墨設色

130×28cm

1937年

款題：

前年為猫寫照。自存之。至己卯。悲鴻先生以書求予精品畫作。無法為報。只好閉門。越數日。蓄其精神。畫成數幅。無一自信者。因追思學詩。先学(學)李義山先生。搜書翻典。左右堆書如獺祭。詩成。或可觀。非不能也。維有作畫。若不偷竊前人。有心為好。反腹枵手拙。要於帋(紙)上求一筆可觀者。實不能也。方檢此舊作。遠寄知己悲公桂林。白石齊璜慚愧。

印章：

木人(朱文)　浮名過實(朱文)

收藏：

王方宇

著録：

《看齊白石畫》第46圖，王方宇、許芥昱合著，藝術圖書公司，1979年，臺北。

227. 春風

立軸

紙本水墨設色

126.8×75cm

1937年

款題：

春風(篆)。

借山唫(吟)館主者。白石製并篆二字。丁丑。

印章：

齊大(朱文)　借山翁(朱文)

收藏：

私人

著録：

《齊白石繪畫精品集》第 52 頁，人民美術出版社，1991 年，北京。

228. 南無西方接引阿彌陀佛

立軸

紙本水墨設色

102.5×47.5cm

1937 年

款題：

南無西方接引阿彌陀佛(篆)。

丁丑春初。晨起焚香繪。齊璜。

印章：

老白(白文)

流俗之所輕也(白文)

收藏：

私人

著録：

《齊白石繪畫精品集》第 51 頁，人民美術出版社，1991 年，北京。

229. 南無西方接引阿彌陀佛

立軸

紙本水墨設色

119×59cm

約 1937 年

款題：

南無西方接引阿彌陀佛(篆)。

冷盦(庵)先生清供。齊璜。

印章：

齊大(朱文)

收藏：

胡橐原藏，現藏炎黄藝術館藝術中心。

230. 渡海圖

立軸

紙本水墨設色

70×35cm

1937 年

款題：

白石山翁七十五歲時畫于故都城西。

印章：

齊大(朱文)

甑屋(朱文)

收藏：

邵宇原藏，現藏炎黄藝術館藝術中心。

231. 清平福來(人物册之一)

册頁

紙本水墨設色

21×31.5cm

1937 年

款題：

清平福來(篆)。

白石老人造像。

印章：

白石翁(白文)　木人(朱文)

收藏：

香港佳士得拍賣行

著録：

《名家翰墨》第 14 輯(齊白石特集)第 145 頁，香港翰墨軒。

232. 得財(人物册之二)

册頁

紙本水墨設色

21×31.5cm

1937 年

款題：

得財(篆)。

丁丑製于燕。白石。

印章：

芝(朱文)　丁丑(白文)

收藏：

香港佳士得拍賣行

著録：

《名家翰墨》第 14 輯(齊白石特集)第 145 頁，香港翰墨軒。

233. 鐵拐李(人物册之三)

册頁

紙本水墨設色

21×31.5cm

1937 年

款題：

形骸終未脱塵緣。

餓殍還魂豈妄傳。

抛却葫蘆与(與)鐵拐。

人間誰信是神仙。

齊璜。

印章：

阿芝(朱文)

收藏：

香港佳士得拍賣行

著録：

《名家翰墨》第 14 輯(齊白石特集)第 145 頁，香港翰墨軒。

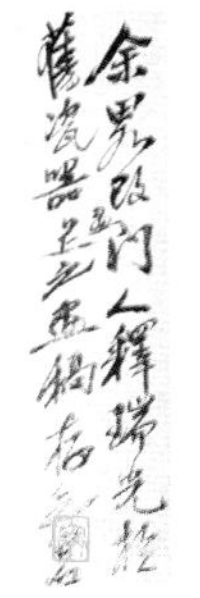

234. 鐘馗(人物册之五)

册頁

紙本水墨設色

21×31.5cm
1937年
款題：
余略改畫門人釋瑞光於舊瓷器上之畫稿存之。白石。
印章：
老齊(朱文)
收藏：
香港佳士得拍賣行
著録：
《名家翰墨》第14輯（齊白石特集)第146頁,香港翰墨軒。

235. 漁翁(人物册之五)
册頁
紙本水墨設色
21×31.5cm
1937年
款題：
老萍
印章：
木人(朱文)
收藏：
香港佳士得拍賣行
著録：
《名家翰墨》第14輯（齊白石特集)第146頁,香港翰墨軒。

236. 老農(人物册之六)
册頁
紙本水墨設色
21×31.5cm
1937年
款題：
八硯樓頭久别人畫于舊京。
印章：
齊大(朱文)
收藏：
香港佳士得拍賣行
著録：
《名家翰墨》第14輯（齊白石特集)第146頁,香港翰墨軒。

237. 松鼠圖
立軸
紙本水墨
130.5×35cm
1937年
款題：
白石齊璜
印章：
七五衰翁(白文) □
收藏印：仁和沈氏曾藏(朱文)
收藏：
夏衍原藏,現藏浙江省博物館。

238. 杏花
扇面
紙本水墨設色
19×53cm
1938年
款題：
星塘老屋在杏子隖之南。予第五子良遲半歲时(時)。其母抱之視王父王母。今良遲年十七矣。王父王母辭世已十又三年。畫此。吾兒須知毋忘王父王母皆葬于杏子隖。戊寅秋。乃翁。
印章：
木人(朱文)
收藏：
齊良遲

239. 魚蝦
立軸
紙本水墨
102.5×34cm
1938年
款題：
萩(藝)樵先生雅屬。戊寅春三月。齊璜。
印章：
齊大(朱文)
收藏：
北京故宮博物院

240. 舍利函齋圖
横幅
紙本水墨設色
35.6×93.4cm
1938年
款題：
舍利函齋圖。
新得一舍利石函。略為一尺。中空。盛舍利子。上之石蓋已失。旁為唐開耀二年開業寺釋孝信舍利函等字。字有數百。精整完好。神似褚何(河)南。乃一見著録之名品也。因名其齋而作此圖。戊寅。齊璜畫并録范(範)卿先生來函之語。
印章：
木人(朱文) 老白(白文)
收藏：
中國美術館
著録：
《齊白石繪畫精品選》第203頁，董玉龍主編，人民美術出版社，1991年,北京。

241. 樹木屋舍
册頁
紙本水墨
26×20cm
1938年
款題：
冷庵弟此帋(紙)醜(丑)不受墨。而弟坐待。畫不能佳。吾不怪帋(紙)醜(丑)。只怪吾弟欲早得為快也。小兄璜。戊寅。
印章：
齊大(白文) 甑屋(朱文)
木居士(白文)
收藏：
炎黃藝術館藝術中心

242. 秋光山居圖

立軸
紙本水墨
104×35cm
1938 年

款題：
秋光山居圖(篆)。
戊寅冬月。借山吟館(主)者製。

印章：
借山翁（白文）
甑屋(朱文)

收藏：
炎黃藝術館藝術中心

243. 魚蟹

立軸
紙本水墨
88×36cm
1938 年

款題：
嵐光先生清屬。戊寅二月。白石齊璜。

印章：
白石(朱文)

收藏：
中央美術學院

244. 紅果（蔬果冊之一）

冊頁
紙本水墨設色
20.5×8.5cm
1938 年

款題：
白石。戊寅。

印章：
木人(朱文)

收藏：
北京榮寶齋

245. 荔枝（蔬果冊之二）

冊頁
紙本水墨設色
20.5×8.5cm
1938 年

款題：
白石

印章：
木人(朱文)

收藏：
北京榮寶齋

246. 葫蘆（蔬果冊之三）

冊頁
紙本水墨設色
20.5×8.5cm
1938 年

款題：
白石

印章：
木人(朱文)

收藏：
北京榮寶齋

247. 海棠果（蔬果冊之四）

冊頁
紙本水墨設色
20.5×8.5cm
1938 年

款題：
戊寅。白石。

印章：
木人(朱文)

收藏：
北京榮寶齋

248. 花生（蔬果冊之五）

冊頁
紙本水墨設色
20.5×8.5cm
1938 年

款題：
白石

印章：
木人(朱文)

收藏：
北京榮寶齋

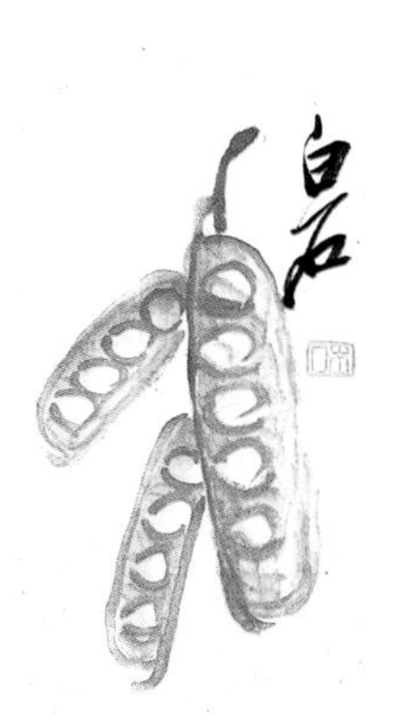

249. 豆荚（蔬果冊之六）

冊頁
紙本水墨設色
20.5×8.5cm
1938 年

款題：
白石

印章：
木人(朱文)

收藏：
北京榮寶齋

250. 石榴草蟲

立軸
紙本水墨設色
69×33cm
1938 年

款題：
世世多子(篆)。
戊寅。老萍。

印章：
白石草衣(白文)
齊大(朱文)
收藏印：□

收藏：
霍宗傑

著録：
《齊白石畫海外藏珍》第 47 圖，王大山主編，榮寶齋（香港）有限公司，1994 年，香港。

251. 墨蘭

扇面
紙本水墨
19×53cm
1938 年

款題：
鏡秋先生清屬。戊寅。齊璜製。

印章：
齊大(朱文)

收藏：
天津人民美術出版社

252. 葡萄

立軸
紙本水墨設色
123.5×40cm
1938 年

款題：
三百石印富翁七十八歲時作于燕京。

印章：
白石(朱文)

收藏：
中國美術館

著録：
《齊白石作品集》第 45 圖，董玉龍主編，天津人民美術出版社，1990 年，天津。

253. 藤蘿蜜蜂

立軸
紙本水墨設色
120×40cm
1938年

款題：
戊寅。借山唫(吟)館主者齊璜。

印章：
齊大(朱文)

收藏：
私人

著録：
《齊白石繪畫精品集》第58頁，人民美術出版社，1991年，北京。

254. 藤蘿

扇面
紙本水墨設色
18×52cm
1938年

款題：
冷庵弟先索寫字。又索作畫。予喜應之。以補書法之醜(丑)也。齊璜。

印章：
木人(朱文)

收藏：
私人

著録：
《齊白石繪畫精品集》第60頁，人民美術出版社，1991年，北京。

255. 蓮蓬蜻蜓

册頁
紙本水墨設色
42×30cm
1938年

款題：
杏子隖老民畫于燕京。

印章：
木人(朱文)

收藏：
私人

著録：
《齊白石繪畫精品集》第55頁，人民美術出版社，1991年，北京。

256. 葫蘆蚱蜢

册頁
紙本水墨設色
44.5×30cm
1938年

款題：
寄萍堂上老人。

印章：
萍翁(白文)

收藏：
私人

著録：
《齊白石繪畫精品集》第56頁，人民美術出版社，1991年，北京。

257. 紅果松鼠

册頁
紙本水墨設色
42×30cm
1938年

款題：
借山老人。

印章：
木人(朱文)

收藏：
私人

著録：
《齊白石繪畫精品集》第57頁，人民美術出版社，1991年，北京。

258. 七子圖

立軸
紙本水墨設色
66.7×34.3cm
1938年

款題：
七子(篆)。
白石老人製。

印章：
齊大(朱文)

收藏：
北京榮寶齋

259. 笋

扇面
紙本水墨設色
14×44cm
1939年

款題：
子長拂暑。己卯春。乃翁。

印章：
老齊(朱文)

收藏：
齊良遲

260. 群蝦圖

立軸
紙本水墨
115×35cm

1939年

款題:

秉衡先生清屬。己卯夏四月中。齊璜白石山翁。

印章:

齊大(朱文)

收藏:

霍宗傑

著録:

《齊白石畫海外藏珍》第53圖,王大山主編,榮寶齋(香港)有限公司,1994年,香港。

261. 黃鸝

立軸

紙本水墨設色

68×34.5cm

1939年

款題:

模山先生雅屬。己卯秋九月中。齊白石偶爾寫生。

印章:

木人(朱文) 齊大(白文)

收藏印:張氏淡静堂珍藏印(朱文)

收藏:

楊永德

著録:

《中國嘉德'95秋季拍賣會·楊永德藏齊白石書畫》第308號,1995年,北京。

262. 鴛鴦并蒂蓮

立軸

紙本水墨設色

107.5×34cm

1939年

款題:

己卯夏六月畫于古燕京。齊璜。

印章:

齊大(朱文)

收藏:

中國展覽交流中心

著録:

《齊白石繪畫精萃》第201圖,秦公、少楷主編,吉林美術出版社,1994年,長春。

263. 秋趣圖

立軸

紙本水墨設色

104×34.3cm

1939年

款題:

奉三与(與)雪濤善。雪濤為予弟。奉三即予弟也。己卯冬。齊璜。

印章:

阿芝(朱文)

收藏:

北京市文物公司

著録:

《齊白石繪畫精萃》第94圖,秦公、少楷主编,吉林美術出版社,1994年,長春。

264. 荷花

立軸

紙本水墨設色

151.1×42cm

1939年

款題:

子瑜先生清屬。己卯。齊白石。

印章:

齊大(朱文)

收藏:

西安美術學院

265. 絲瓜

扇面

紙本水墨設色

19×55cm

1939年

款題:

冷庵仁弟雅屬。己卯同在燕京。璜。

印章:

老齊(朱文)

收藏:

私人

著録:

《齊白石繪畫精品集》第61圖,人民美術出版社,1991年,北京。

266. 雛鷄出籠

立軸

紙本水墨設色

104×34cm

1939年

款題:

三百石印富翁齊璜畫。時年七十九矣。

印章:

齊大(朱文)

收藏:

北京市文物公司

著録:

《齊白石繪畫精萃》第95頁,秦公、少楷主編,吉林美術出版社,1994年,長春。

267. 葫蘆書畫扇

扇面

紙本水墨設色

18×50cm

1939年

款題:

濟衆先生屬。白石山翁齊璜寫。

印章:

齊大(白文)

收藏:

中國藝術研究院美術研究所

268. 公鷄蟋蟀

横幅

紙本水墨設色

40×70cm

約30年代中期

款題:

白石山翁。

印章:

老木(朱文)

收藏:

私人

269. 石榴

扇面
紙本水墨設色
17.6×44cm
1939年

款題：
子才弟雅正。
己卯夏。白石。

印章：
木人(朱文)

收藏：
私人

270. 事事遇頭

立軸
紙本水墨設色
68×35cm
1939年

款題：
事事遇頭(篆)。
白石老人居京華第廿三年。

印章：
齊大(朱文)
麓山紅葉相思(白文)

收藏：
上海美術家協會

271. 公鷄和雛鷄

立軸
紙本水墨設色
104×34cm
1939年

款題：
借山唫(吟)館主者齊白石畫。時居京華第廿又三年矣。

印章：
齊大(朱文)

收藏：
天津楊柳青書畫社

272. 秋聲圖

立軸
紙本水墨設色
104×34.3cm
1939年

款題：
秋聲(篆)。
三百石印富翁齊白石居京華第二十三年畫。

印章：
齊大(朱文)

收藏：
北京市文物公司

著録：
《齊白石繪畫精萃》第93圖，秦公、少楷主編，吉林美術出版社，1994年，長春。
《齊白石畫集》第75圖，嚴欣强、金岩編，外文出版社，1990年，北京。

273. 秋瓜

立軸
紙本水墨設色
168×43.5cm
1939年

款題：
秋瓜(篆)。
寄萍堂上老人四百八十二甲子時。畫于京華春雪不寒時候。

印章：
白石(朱文)

收藏：
中國美術館

著録：
《齊白石畫集》第11圖，嚴欣强、金岩編，外文出版社，1990年，北京。
《齊白石繪畫精品選》第46頁，董玉龍主編，人民美術出版社，1991年，北京。

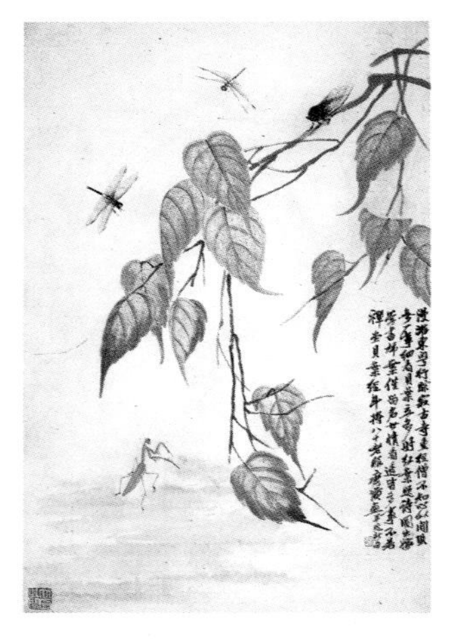

274. 貝葉草蟲

立軸
紙本工筆設色
80×52.5cm
1939年

款題：
漫游東粵行踪寂。
古寺重徑僧不知。
心似閒(閑)蛩無一事。
細看貝葉立多時。

紅葉題詩圖出嫁。
学(學)書柿葉僅留名。
世情看透皆多事。
不若禪堂貝葉經。
年將八十。老眼齊璜畫并題新句。

印章：
白石山翁(朱文)
大匠之門(白文)

收藏：
天津楊柳青書畫社

275. 百壽

立軸
紙本水墨設色
98×33cm
約30年代晚期

款題：
百壽(篆)。
白石齊璜少年時。曾見薇蓀太史處有此本。
此婦人似有言曰。我乖乖上壽去了。八十六歲白石又題。丙戌。

印章：
老木(朱文)　齊白石(白文)

收藏：
遼寧省博物館

著録：
《齊白石畫册》第35圖，遼寧省博物館編，遼寧美術出版社，1961年，瀋陽。

276. 老農夫

立軸

紙本水墨設色

68×34.6cm

約 30 年代晚期

款題：

白石齊璜

印章：

白石（朱文）

白石造化(白文)

收藏：

中國美術館

277. 鐘馗

立軸

紙本水墨設色

113.5×34cm

約 30 年代晚期

款題：

白石老人齊璜。

印章：

白石(朱文)

收藏印:芳信齋(朱文)

南宮尚氏書畫鑒賞章(朱文)

收藏：

陝西省歷史博物館

278. 山水

橫幅

紙本水墨

48×82cm

1939 年

款題：

白石

印章：

白石翁(白文)

收藏：

徐悲鴻紀念館

279. 達摩渡海圖

立軸

紙本水墨設色

93×39cm

約 30 年代晚期

款題：

門人吉祥僧嘗畫達摩像。余將衣摺删省之。白石。

伯鈞先生供奉。八十九歲白石又題。己丑。

印章：

老木（朱文）

白石老人(白文)

收藏：

北京市文物公司

著録：

《齊白石繪畫精萃》第 87 圖，秦公、少楷主編，吉林美術出版社，1994 年，長春。

280. 岱廟圖

鏡片

紙本水墨設色

42×36cm

約 30 年代晚期

印章：

老白(白文)

收藏印:湖南省博物館藏品章(朱文)

湖南省文物管理委員會收藏(朱文)

收藏：

湖南省博物館

281. 松坪竹馬圖

立軸

紙本水墨設色

140×48cm

約 30 年代晚期

款題：

松坪竹馬。

寄萍堂上老人。

印章：

白石翁(白文)

收藏印：仁和沈氏曾藏(朱文)

收藏：

夏衍原藏,現藏浙江省博物館。

282. 梅花喜鵲

立軸

紙本水墨設色

101×34.5cm

約 30 年代晚期

款題：

三百石印富翁齊璜白石。

印章：

木人(朱文)

齊大(朱文)

收藏：

北京市文物公司

著録：

《齊白石繪畫精萃》第 105 圖，秦公、少楷主编，吉林美術出版社，1994 年,長春。

283. 紅梅墨蝶

立軸

紙本水墨設色

120×30cm

約 30 年代晚期

款題：

興來畫梅添蝶。却非偶然。見隨園老人游羅浮山詩。白石。

印章：

木人(朱文)

故鄉無此好天恩(朱文)

收藏：

中國美術館

著録：

《齊白石作品集》第 103 圖，董玉龍主編，天津人民美術出版社，1990 年,天津。

284. 葫蘆蟈蟈(花卉草蟲册之一)

册頁

紙本水墨設色

26.5×20.3cm

約 30 年代晚期

款題：

寄萍堂上老人寫生。

印章：

老齊郎(白文)

收藏：

中國美術館

285. 稻穗螳螂(花卉草蟲冊之二)

冊頁

紙本水墨設色

26.5×20.3cm

約 30 年代晚期

款題：

老齊

印章：

老齊(朱文)

收藏：

中國美術館

286. 老少年蝴蝶(花卉草蟲冊之三)

冊頁

紙本水墨設色

26.5×20.3cm

約 30 年代晚期

款題：

往日情奴。

印章：

老木(白文)

收藏：

中國美術館

287. 水草游蝦(花卉草蟲冊之四)

冊頁

紙本水墨設色

26.5×20.3cm

約 30 年代晚期

款題：

瀕生

印章：

白石翁(白文)

收藏：

中國美術館

288. 穀穗螞蚱(花卉草蟲冊之五)

冊頁

紙本水墨設色

26.5×20.3cm

約 30 年代晚期

款題：

齊璜

印章：

借山翁(白文)

收藏：

中國美術館

著録：

《齊白石繪畫精品選》第 131 頁，董玉龍主編，人民美術出版社，1991 年，北京。

289. 絲瓜螞蚱(花卉草蟲冊之六)

冊頁

紙本水墨設色

26.5×20.3cm

約 30 年代晚期

款題：

老萍

印章：

齊大(白文)

收藏：

中國美術館

290. 紅草飛蛾(花卉草蟲冊之七)

冊頁

紙本水墨設色

26.5×20.3cm

約 30 年代晚期

款題：

三百石印富翁。

印章：

木人(朱文)

收藏：

中國美術館

291. 草花蜻蜓(花卉草蟲冊之八)

冊頁

紙本水墨設色

26.5×20.3cm

約 30 年代晚期

款題：

齊大老眼。

印章：

苹翁(白文)

收藏:

中國美術館

292. 紅蓼螻蛄(花卉草蟲册之九)

册頁

紙本水墨設色

26.5×20.3cm

約 30 年代晚期

款題:

木人

印章:

老白(白文)

收藏:

中國美術館

293. 綠柳鳴蟬(花卉草蟲册之十)

册頁

紙本水墨設色

26.5×20.3cm

約 30 年代晚期

款題:

借山唫(吟)館主者。

印章:

齊白石(白文)

收藏:

中國美術館

著録:

《齊白石繪畫精品選》第 132 頁,董玉龍主編,人民美術出版社,1991 年,北京。

294. 鳳花紅蠅(花卉草蟲册之十一)

册頁

紙本水墨設色

26.5×20.3cm

約 30 年代晚期

款題:

白石

印章:

木人(朱文)

收藏:

中國美術館

295. 扁豆蚱蜢(花卉草蟲册之十二)

册頁

紙本水墨設色

26.5×20.3cm

約 30 年代晚期

款題:

阿芝

印章:

木人(朱文)

收藏:

中國美術館

296. 富貴耄耋

立軸

紙本水墨設色

64×33cm

約 30 年代晚期

款題:

客問曰。此老能畫走獸耶。曰。不能。白石。

印章:

齊大(白文)

著録:

《齊白石畫海外藏珍》第 54 圖,王大山主編,榮寶齋(香港)有限公司,1994 年,香港。

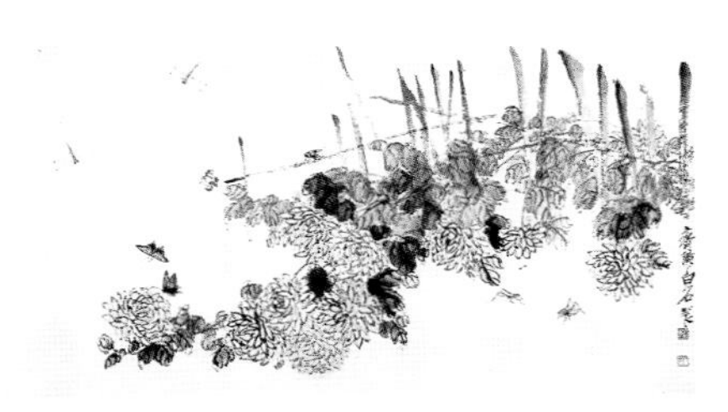

297. 秋色秋聲

横幅

紙本水墨設色

63×114.5cm

約 30 年代晚期

款題:

齊璜白石製。

印章:

老白(白文)　齊大(朱文)

收藏:

私人

著録:

《齊白石繪畫精品集》第 72—73 頁,人民美術出版社,1991 年,北京。

298. 荷花蜻蜓

立軸

紙本水墨設色

133×35cm

約 30 年代晚期

款題:

顛倒荷花如佛性。

開來自若那(哪)知愁。

白石老人舊句。

印章：

齊大(朱文)

收藏：

私人

著録：

《齊白石繪畫精品集》第 50 頁，人民美術出版社，1991 年，北京。

299. 燈鼠瓜果圖

立軸

紙本水墨設色

69×34.1cm

約 30 年代晚期

款題：

摘得瓜來置竈頭。

庖中夜鬧是何由。

老夫剔起油鐙(燈)火。

照見人間鼠可愁。

白石并題句。

印章：

白石(朱文)

收藏：

天津人民美術出版社

300. 靈猴獻果圖

立軸

紙本水墨設色

134.3×33.2cm

約 30 年代晚期

款題：

獻果(篆)。

獻果去尋幽洞遠。

攀蘿來撼落花香。

白石山翁齊璜。

印章：

白石翁(白文)

收藏：

中國美術館

301. 紅梅八哥

立軸

紙本水墨設色

102×34cm

約 30 年代晚期

款題：

杏子隖老民作于故都借山吟館。

印章：

白石(朱文)

湖南省文物管理委員會收藏(朱文)

收藏：

湖南省博物館

著録：

《齊白石繪畫選集》第 28 圖，湖南省博物館編，湖南美術出版社，1981 年，長沙。

302. 豆莢草蟲

立軸

紙本水墨設色

134×33cm

約 30 年代晚期

款題：

借山老人齊白石。

印章：

齊大(朱文)

收藏：

私人

著録：

《齊白石畫海外藏珍》第 45 圖，王大山主編，榮寶齋（香港）有限公司，1994 年，香港。

303. 菊花

立軸

紙本水墨設色

175.5×58.5cm

約 30 年代晚期

款題：

八硯樓頭久別人。白石。

印章：

齊白石(白文)

收藏：

北京市文物公司

著録：

《齊白石繪畫精萃》第 107 圖，秦公、少楷主編，吉林美術出版社，1994 年，長春。

304. 雛鷄

立軸

紙本水墨

72×34cm

約 30 年代晚期

款題：

寄萍老人齊白石喜天日之和暢。作此小幅。木全義悦先生正。

印章：

齊大(朱文)

收藏：

私人

著録：

《齊白石畫海外藏珍》第 55 圖，王大山主編，榮寶齋（香港）有限公司，1994 年，香港。

305. 蘆塘鳴蛙圖

立軸

紙本水墨

101.6×34.6cm

約 30 年代晚期

款題：

借山唫（吟）館主者。齊璜。

印章：

齊大(朱文)

白石(朱文)

齊璜老手(白文)

收藏：

天津人民美術出版社

306. 柿子

立軸

紙本水墨設色

70×33.2cm

約 30 年代晚期

款題：

借山唫（吟）館主者齊白石日午拈毫。玉山先生清屬。

印章：

齊大(朱文)

收藏：

北京市文物公司

著録：

《齊白石繪畫精萃》第 110 圖，秦公、少楷主編，吉林美術出版社，1994 年，長春。

307. 松樹八哥

立軸

紙本水墨設色

136×22cm

約 30 年代晚期

款題:

白石

印章:

齊大(白文)

收藏:

私人

著録:

《齊白石畫海外藏珍》第 57 圖，王大山主編，榮寶齋(香港)有限公司, 1994 年, 香港。

本卷承蒙下列單位與個人的熱情支持與大力協助。特此致謝！

中國美術館
北京市文物公司
中央美術學院
炎黃藝術館藝術中心
北京榮寶齋
天津人民美術出版社
北京畫院
中央工藝美術學院
四川省博物館
湖南省博物館
浙江省博物館
遼寧省博物館
西安美術學院
北京故宫博物院
天津藝術博物館
中國藝術研究院美術研究所
首都博物館
魯迅美術學院
天津楊柳青書畫社
上海美術家協會
陝西美術家協會
徐悲鴻紀念館
陝西省歷史博物館
中國展覽交流中心
廣西壯族自治區博物館
四川美術學院
北京畫院
廣州市美術館
上海朵雲軒
中央美術學院附中
南京博物館
霍宗傑先生
梁　穗先生
楊永德先生
葉伯生先生
王方宇先生
齊良遲先生
胡　末先生
齊佛來先生
吳祖光先生
安性存先生
朱屺瞻先生
朱為清先生

（按所收作品數量順序排列）

總 策 劃：郭天民　蕭沛蒼
總 編 輯：郭天民
總 監 製：蕭沛蒼

齊白石全集編輯委員會
主　　編：郎紹君　郭天民
編　　委：李松濤　王振德　羅隨祖　舒俊傑
郎紹君　郭天民　蕭沛蒼　李小山
徐　改　敖普安

本卷主編：郎紹君
責任編輯：孫　平
圖版攝影：孫智和　黎　丹
著　　録：徐　改　敖普安　李小山
黎　丹　章小林　姚陽光
注　　釋：郎紹君　徐　改
英文翻譯：張少雄
責任校對：吳鳳媛
總體設計：戈　巴

齊白石全集　第四卷

出版發行：湖南美術出版社
（長沙市人民中路103號）
經　　銷：全國各地新華書店
印　　製：深圳華新彩印製版有限公司
一九九六年十月第一版　第一次印刷

ISBN7—5356—0890—6/J·815